Van dezelfde auteur:

Blinde wereld (2009)
Wij dansen niet (2011)

Ellen Heijmerikx

En nooit was iets gelogen

Met gedichten en liedjes
van Jos Versteegen

Nieuw Amsterdam Uitgevers

Deze roman is mede mogelijk gemaakt door een reis-
en werkbeurs van het Nederlands Letterenfonds

N ederlands
letterenfonds
dutch foundation
for literature

Deze uitgave kwam tot stand met medewerking
van Van Grunsven Creative Management,
zie ook www.vangrunsvencm.com

Omslagontwerp Annemarie van Pruyssen, www.amvp.nl
Omslagillustratie © Burt Glinn/Magnum Photos
Foto auteur © Sheila Aukes
NUR 301
ISBN 978 90 468 1881 7
www.nieuwamsterdam.nl/ellenheijmerikx
www.ellenheijmerikx.nl

MIX
Papier van
verantwoorde herkomst
FSC
www.fsc.org
FSC® C004472

Je moet een mens zijn geheimen gunnen.

– Marita Keilson-Lauritz

I

Ik begrijp het niet, de neiging van mensen om op hun sterfbed geheimen op te biechten. Alsof al die jaren daarvoor, de uren waarin Pepe en ik zwijgend op de bank in de tuin zaten, niet de moeite waard zijn geweest. Pas toen er morfinepleisters op zijn borst werden geplakt en hij niet meer zelf van zijn bed kon komen, ging Pepe rechtop zitten, trok de slangen van het zuurstofapparaat los en liet de woorden stromen als zand, een kiepwagen. Hij sloeg op zijn uitgeteerde borst alsof hij weer die jongen was in de arbeiderswijk van Madrid.

Ik schudde zijn kussen op, vulde zijn glas. Madre mía! Wat moet je zeggen als iemand vertelt hoe hij een mes vasthield, op de juiste manier een halsslagader wist te raken? Ik zakte terug in de stoel naast het bed en staarde naar zijn handen die geen beker meer konden tillen. Ja, hij was anders geweest, zoals ook ik anders was dan meisjes van mijn leeftijd. Lucht-fietsers waren we, geboren verhalenvertellers in de grauwe nasleep van een burgeroorlog. Artiesten. Ook toen het doek allang was gevallen.

'Waar kijk je naar?'

'Of je iets nodig hebt. Waar moet ik anders naar kijken?'

'Kijk me aan, cariño. Ik wil dat je weet wat er gebeurd is. Waarom ik het niet eerder durfde te vertellen.'

'Wil je iets eten?'

'Hij moest dood, dat was wat ik dacht.'

'Zal ik een appel voor je schillen?'

Schaamte is als olie op een verenkleed. Vogels sterven erdoor. Een enkeling wordt gered, gewassen in een vogelopvang.

Vier dagen kreeg Pepe om alles van zich af te schudden, vier dagen voor hij stierf. Als zijn woorden werkelijk zandkorrels waren geweest, hadden ze de ziekenzaal in een mum van tijd gevuld, dokters en zusters de doorgang versperd, de bijna-doden in hun bedden misschien al het leven ontnomen voor hun ellendige woekerziekten dat zouden doen. We zouden tegelijk gestorven zijn, Pepe en ik, gestikt in de geheimen van een besmeurd verleden.

∽

Het weer is goed voor een emmer sop. Hollands weer.

Na ons vertrek uit Spanje heb ik jarenlang toiletten geschrobd in de staalfabriek. Arbeiders lieten roetige vingerafdrukken na op de muur en besproeiden de tegels naast de pisbak; wij hadden werk en vakantiedagen, mochten zonder angst gedachten uitspreken en kochten een huis.

We zijn niet meer teruggegaan. Ook niet toen mijn ouders stierven.

Nu krijg ik pensioen in dit land waar alles goed geregeld is. Ik sop de beelden in de tuin, kleine en grote mozaïekbeelden die onze geschiedenis in Spanje laten zien. De vlag van Asturië, mijn geboortestreek Catalonië. Ik haal de borstel langs de kleurige scherven die Pepe met zo veel zorg bij elkaar heeft gezocht. Groene zeep helpt tegen de plakkaten mos die zich met grove steken aan het steen hebben vastgezet. Vijf lepels zeep en vijf lepels soda op tien liter water. Het moet inwerken, losweken. Daarna haal je de kleuren met een enkele borstelstreek moeiteloos tevoorschijn.

In Nederland planten ze bomen of verzorgen ze graven ter nagedachtenis aan geliefden. Ik trek rubberhandschoenen aan, krab mos uit voegen en poets het glazuur tot de vlakjes door het licht lijken op te spatten. Gedachteloos werken is er niet meer bij, o god nee, naar welk ornament ik ook kijk. Was het dat wat hij bedoelde... of toch niet? En wanneer?

Deze ochtend bind ik een schort voor en boen een nis waar de zon nauwelijks komt. Een boog belegd met hemelblauwe scherven, vijf plastic babypopjes aan draden boven een fonteintje. Ik wrijf hun lijfjes op met een zachte doek, de kromme beentjes, ga op mijn knieën zitten en stel me de handjes voor die zich aan me vastklemmen tijdens de eerste wankele stapjes. Het kraaiende mondje, de tandjes die doorkomen. Ik meen iets van mezelf te herkennen in de poppengezichtjes, denk een hand te voelen op mijn schouder. Een aanraking die ik me juist nu nog beter weet te herinneren.

'Ik moet je wat zeggen.' Pepes stem, nog jong, zijn andere hand op mijn buik, troostend. 'Ik durf het niet aan, Juanita.'

Ik grijp me vast en ga staan. Wat zou ik zeggen tegen een dochter als ik die had? Dat het leven mooi is, vallen en opstaan? Welke moeder zal bekennen dat het leven ook afschuwelijk is, dat de realiteit het lichaam uitwringt als een natte lap. Een verwarrende zoektocht. Alles willen goedmaken, vooral met de doden, vooral dat. Een eeuwig gevoel tekort te schieten.

Ik loop naar het huis, spoel de emmer om bij de buitenkraan en trek aan de vingers van de handschoenen tot ze slurpend loslaten.

Als je neuriet ben je tevreden, als je zingt ben je gelukkig. We zongen, Pepe en ik. In Spanje voor arme dorpsbewoners, in Nederland voor gastarbeiders.

Ik zet de emmer en borstel in de kelderkast en rust uit op

de bank tegen het huis. Er was zoveel wat ik niet doorhad.

De vijg bij de schuur draagt veel blad, dit jaar. Ik laat de plant zijn gang gaan, knip niets weg. De takken vormen een gesloten harnas om de salamander op de hoge sokkel, het enige ornament in de tuin dat ik weiger schoon te maken. Toch lijkt het beest met zijn geel-blauwe drakenrug bedrieglijk fris. Mijn blik wordt er als vanzelf naartoe getrokken. Alsof hij daarnet nog een van zijn groene handjes optilde, me met een duivels plezier een glimp gunde van de prooi onder zijn buik. Een buit die ik de dag na Pepes overlijden ontdekte en geschrokken teruglegde.

Waarom zag ik het niet maar herinner ik het me wel? Hoe Pepe daar stond, nog geen tien jaar geleden, met opeengeklemde kaken het cement tegen het frame van het beest kwakkend, terwijl ik koffie ging zetten, een tompouce van de Hema.

Toch maar weer opstaan. De afvalbak moet naar de straat, de onderste plank van de schuurdeur is rot en op het paadje achter de schuur staat onkruid. Handenvol ruk ik los, taaie wortels. Scherp gras jast in mijn huid. Ik mik de kluiten op een hoop bij de schutting. Hier in Nederland denk je aan buren, je spreekt zonder gebaren en rouwt zonder geluiden, gedomesticeerd, aangepast. Geen mens zal last van mij hebben.

Bij de buitenkraan laat ik de gieter vollopen en ik loop met gebogen hoofd naar de vijg. De vruchten, die hier moeilijk rijp worden, stopte Pepe in een boterhamzakje, samen met een banaan. Hij at ze nog als ze al zwart waren.

Ergens in het huis hoor ik mijn telefoon gaan. De man die opeens onze Toyota wil kopen, doet een belachelijk laag bod. Alsof ik achterlijk ben zonder Pepe. Ik richt me naar de wortels, mechanisch, wacht tot de grond het water heeft opgezogen voor ik weer opgiet. De vruchten van de plant kunnen me niet schelen, maar het blad, de dikke leerachtige bladeren moeten blijven, een stevig vol scherm.

Klote, zeggen ze hier in Nederland als ze ergens de pest aan hebben. Klotebeest.

2

Alles begon in 1955, zestien jaar na die burgeroorlog. In Comillas, een dorp in het noorden van Spanje. Ik had me alleen nog maar geërgerd aan de jonge kompel die mijn moeder had aangenomen in ons theatergezelschap.

Ik vond hem een idioot, die avond in de lege theaterzaal waar de grammofoon speelde en hij zich onbespied waande. Waarom zou iemand lappen om zijn voeten wikkelen, dikke proppen van aan repen gescheurde lakens waar geen mens fatsoenlijk op vooruit kon komen, laat staan ermee dansen zoals Pepe dat deed? Ik was zestien en wilde mooi zijn, altijd, maar vooral op een podium. Geen hond zou willen kijken naar dat gestamp op de vloerplanken, het zwiepen van die kop. En helemaal niet toen Pepe zichzelf liet struikelen, als een gebrekkig mens op de vloer smakte en zijn rug liet schokken alsof hij thuishoorde in een gekkenhuis. Hoe kon hij zo'n mislukkeling spelen?

Een gitaarsolo, een tikkende nagel op de slagplaat. Van het ene op het andere moment was er rust. Pepe kwam wankelend overeind, veegde langs zijn kin, een slaande beweging naar denkbeeldig speeksel. Toen zakte hij door zijn knieën, greep naar iets en leek dat uit alle macht met zich mee te willen trekken. Uitstekend geacteerd, zou mijn moeder zeggen, een van haar weinige complimenten. Maar toch.

Hoe oud moet je worden om je herinneringen te begrijpen?

Pas nu dus, meer dan vijftig jaar later, weet ik dat Pepe de spastische bewegingen nadeed van de enige man die ooit een vader voor hem is geweest. Een dorpsgek. Dat hij als kind met hem een dode koe trachtte weg te slepen die geen centimeter van zijn plaats kwam.

De gitaar zweeg. De zanger op de plaat sprak, begeleid door handgeklap. De stem leek Pepe aan te spreken, licht slissend, wat bij de scène leek te horen. Hij stond stil, nahijgend, hief zijn hoofd en luisterde.

Verdraag de stenen, ruw en scherp,
die jongens uit de modder rapen.
Ze lachen of ze vrolijk zijn.

Verdraag de woorden, grof en luid,
die jongens uit de modder rapen.
Hun lachen doet het meeste pijn.

Ik stond op, sloop tussen rekwisieten door naar buiten. Niet veel later hoorde ik zijn voetstappen en trok ik me terug achter een zijmuur. Pepe verliet de zaal en floot alsof hij tevreden was over de repetitie. Ik volgde hem naar het gasthuis, keek toe hoe hij zijn bovenlijf ontblootte en zich waste bij de pomp, grondig, alsof er meer vuil aan zijn huid kleefde dan met het blote oog te zien was. Ik spiedde door het donker, stelde me voor dat hij me zou zien terwijl het water uit zijn haren droop. Hij zou naar me toe lopen, me aanraken met zijn natte handen, onhandig. Hij zou geen schoenen dragen, maar repen stof die ik langzaam van zijn voeten zou wikkelen.

Er waren veel vleermuizen dat jaar. Ze doken door de avondlucht en maakten geluidjes alsof iemand speelkaarten langs zijn duim liet ritsen.

Pepe schudde zijn haar droog, trok zijn hemd over zijn hoofd en verdween het huis in.

Het liet me niet meer los.

De volgende dag besteedde ik aandacht aan mijn haar, mijn ogen. In de keuken van het gasthuis ging ik tegenover hem aan tafel zitten, treuzelde met eten en probeerde zijn blik te vangen.

'Smaakt het?'

Zijn hoofd schoot omhoog, een dier dat een geluid waarnam, een geur opsnoof. Geen spoor van de concentratie op het podium. Waarom was hij me niet eerder opgevallen?

'Ik vroeg me af waar je vandaan komt.' Ik voelde dat ik bloosde, maar Pepe leek het niet op te merken. Hij kauwde, slikte voor hij antwoord gaf.

'Ik ben geboren in Madrid. We waren met z'n zessen. Na mijn vaders dood woonden we in het noorden. Niets bijzonders.' Het klonk stamelend, alsof hij nog moest wennen aan het idee dat ik tegen hem sprak.

'Het noorden is groot.'

'Asturië. Cezosu, het geboortedorp van mijn moeder in de bergen bij Nava.' Iets van een glimlach gleed over zijn gezicht. Hij nam een slok koffie, vertrok zijn mondhoeken. 'Daarna woonde ik in de stad en later in het mijnwerkersdorp. Dat weet je.'

'Dat was het?'

'Dat was het.'

'Was er een school in het dorp?'

Pepe reikte naar het brood, brak er een stuk af dat hij in zijn koffie dompelde voor hij het in zijn mond stak. 'Als we niet werkten hadden we geen eten.'

Lola kwam de keuken binnen, begon met veel lawaai de tafel af te ruimen.

'Wie heeft je dan leren lezen en schrijven?'

Pepe gebaarde alsof dat al ver achter hem lag. 'Gewoon een man uit de stad...' Hij maakte zijn zin niet af, leek afgeleid door het brood dat uit elkaar viel. 'Zullen we het over iets anders hebben?'

'Hoezo? Mis je hem?'

Pepe zweeg. De stank van aangebrande melk vulde de keuken. De poten van zijn kruk schuurden over de vloertegels.

'Ik ben ook nooit naar school geweest.' Ik redde me eruit, enigszins, boog over de tafel naar hem toe, mijn hand op zijn arm, terwijl Lola kletterend de borden opstapelde. 'Ik kreeg les van mijn vader.'

'Fijn voor je.' Even keek hij me strak aan, schudde mijn hand af en stond op. Hij zocht naar iets in zijn broekzak. Toen knikte hij naar Lola bij het aanrecht en haastte zich de keuken uit.

'Dat deed je goed, meisje.' Mijn twaalf jaar oudere, verdomd nieuwsgierige halfzus draaide zich om, haar kletsnatte handen in haar zij geplant. 'Nu kun je er zeker van zijn dat hij je nooit meer iets zal vertellen.'

3

De vergelijking is krankzinnig, een lading zand in een Nederlandse ziekenzaal of waar dan ook, maar de kracht waarmee Pepes woorden kwamen, die laatste vier dagen, groef me in. Ik zat daar maar, in die stoel naast zijn bed, mijn armen bewegingloos, mijn hoofd als een bal in de brandende zon.

Je slaat een stervende niet in zijn gezicht, al voel je je besodemieterd. En je gilt de boel niet bij elkaar in een zaal waar nog drie patiënten liggen te wachten op de dood.

Ik veinsde onverschilligheid toen Pepe vertelde hoe hij als jongen gefascineerd raakte door copla's: vierregelige Spaanse verzen – alsof ik dat nog niet wist. Ik keek verveeld naar buiten toen hij zijn idool aanhaalde: Santiago, de beschermheilige van Spanje – wat nieuw voor me was. En ik gaapte toen die klootzak van een vader ter sprake kwam. Waarom nu pas, Pepe? Wat als ik eerder was gegaan dan jij?

'Je moet weten wat eraan voorafging, cariño. Alles.'

'Waaraan?'

'De dood van die man.'

Ik vermeed zijn blik, staarde naar het infuus naast zijn bed. Plastic organen aan een standaard, een druppelaar die verstopt kon raken. Een bel zuurstof die Pepes ader zou binnendringen en onvermijdelijk naar boven zou worden gepompt, naar zijn hart. Hij zou niet sterven aan die verdomde kanker, hij ging dood door het falen van een stom apparaat en zou zijn verhaal niet af kunnen maken. Alles wat ik allang behoorde te weten, waar ik recht op had, of niet soms.

Een jeukende hitte kroop op langs mijn hals. Opstaan. Slangen lostrekken, vloeistofzakken als waterbommen tegen het raam kwakken. Laat maar, Pepe. Ik hoef het niet te weten. Ik wil niet eens meer weten van die copla's en hoe je godbetert een moordenaar werd. Ik wil dat je blijft.

Maar hij merkte het niet meer op. Een verpleegster stak een naald in zijn ader en de morfine leek hem uit zijn evenwicht te brengen. Hij greep zich vast aan de papegaai boven zijn bed, bleef doorpraten alsof we een ritje maakten met de tram, overhellend in de bochten.

Een vrouw in een badjas schuifelde naar het raam, konijnen op haar slippers. Ze verschoof het gordijn om de zon buiten te sluiten en ik wenste dat ik met eenzelfde simpele handeling de kanker buiten kon sluiten, de ziekte die Pepes lichaam vernietigde waar ik bijzat.

∽

Het was op de markt in Madrid, waar anders, dat Pepe als kind voor het eerst een copla hoorde. Een man met één hand liep tussen de kramen door. Hij probeerde nog iets te verdienen door gedichten te verkopen, volksverzen die rijmden zodat je ze beter kon onthouden.

> *De mooiste copla's voor een stuiver!*
> *Vijf centen voor de liefde en het leven,*
> *voor wijsheid, God, het Spaanse land,*
> *op lakenwit papier en handgeschreven.*

De snoepballetjes van een zoetverkoper geurden in de hitte van de zon, het zoet en zure van citroen, maar Pepe draaide zijn rug naar de kraam en staarde de coplaverkoper aan. Het was niet de schilferige stomp die hem fascineerde, of het in lompen gehulde lijf waarmee de man treiterende kwajongens aantrok als mestvliegen. Het waren de vellen papier die hij tegen zijn schriele borst klemde. Als Pepe stuivers aan hem kon laten zien, zou de man onmiddellijk blijven staan. Hij zou de gebruikelijke vragen stellen en met de hand die er nog aan-zat door de vellen bladeren om de copla's te zoeken die Pepes honger beschreven, of zijn verlangen om een held te worden. Nog diezelfde dag zou zijn zus Fina ze fluisterend voorlezen zodat hij ze uit zijn hoofd kon leren.

Maar Pepe had geen stuivers. Hij had benen die rilden, broekzakken vol gaten en een snuffelende rat in zijn buik. De man zonder hand keurde hem geen blik waardig en Pepe gaf een trap tegen de kraam van de zoetverkoper, griste snoep-balletjes weg die over de grond stuiterden en zette het op een lopen.

Zijn eerste eigen copla maakte hij over honger, liggend op de grond in de huurkamer van zijn ouders. Hij drukte zijn voor-hoofd tegen de plavuizen, snoof de geur op van het eten uit de naastgelegen kamers. Daar zaten jongens aan tafel met een vader die wél thuiskwam na zijn werk in de fabriek. Pepe kon het geslurp horen, het gesmak bij het kauwen. Schijt in hun melk. Ze hadden te eten, dat wel, maar waren te stom om een copla te bedenken, de ezels. Voor geen goud had hij willen ruilen.

Als het niet zo vies warm was geweest in de kamer, had hij zo ook een tweede copla opgedreund. Santiago. Hij wist ge-noeg over de apostel die was gemarteld, onthoofd en begraven op het sterrenveld. In plaats van Pepe te leren lezen hadden de nonnen in Madrid verhalen verteld over de ridder te paard die had meegevochten tegen de Moren: een kruis in de ene, een zwaard in de andere hand.

Pepe wilde ook een held worden, een man die vocht tegen de vijand en mensen redde. Maar er werd in hun straat niet meer gevochten. Alleen de zon boorde zwaarden door de kieren in de luiken, pinde zijn moeder vast op de stoel bij de tafel, zijn oudste broer Manolo op de kruk, zijn slapende broers en zusjes op de vloer rond hun voeten.

Hij rolde zich op zijn zij en trok zich aan de tafel op. Santiago moest toch weten hoe het voelde als je honger had, hoe de leegte daarbinnen onophoudelijk toestak? In gedachten zag Pepe de apostel de straten afzoeken, op een knie zakken en door hun luiken spieden op zoek naar een leerling. Wie was er sterk genoeg?

De zon trok zich terug, liet de huurkamer achter in een schemer terwijl toch alles leek te stralen. Pepe liet de tafelrand los. Zijn hoofd voelde licht. Zijn benen waren weg, maar hij bleef overeind, zweefde, moeiteloos.

Hier stond hij, Pepe Castro Montes, zeven jaar oud, te klein voor zijn leeftijd en met een maag als een lekke bal. Maar hij was anders dan zijn broers die daar lagen te snurken als varkens. Hij zou de honger verdragen, de pijn... Hij was het, hij was de leerling waar de apostel naar zocht en hij vouwde zijn handen, slikte tranen van trots.

Buiten ratelde een kar. De stem van een koopman. Gebeier van een klok, niet een van de zware bellen in de toren van de kathedraal, maar verder, veel verder weg. Een deur klapte dicht. De huisbaas schreeuwde dat ze weg moesten als de huur niet werd betaald. Een vuistslag van Manolo op tafel. Pepe viel languit op de plavuizen. De kinderen op de vloer hieven hun slaperige koppen en knipperden verbaasd.

Zijn moeder schoof haar stoel achteruit, stond op en sprak na drie dagen te hebben gezwegen. 'We gaan.'

4

Ze kreeg geen gelijk, mijn zus Lola toen ze met haar handen in haar zij beweerde dat Pepe me nooit meer iets zou vertellen. Het heeft alleen een leven geduurd. Een heel leven voor hij de hele waarheid vertelde. Sodemieter, zeggen ze in Nederland als ze je bijna niet kunnen geloven. Sodemieter.

Mijn telefoon op de tuintafel gaat. Ik stroop mijn rubberhandschoen af, en zonder naar het nummer te kijken neem ik op. Het is de man die onze auto wil kopen, zijn volvette stem. Vis zie ik die keel in glijden, haring met uitjes, zijn duim op het staartje. Hij vraagt of ik al een besluit heb genomen. Hij zegt dat dit een kans is die ik met beide handen aan moet grijpen. Zo'n oude auto is niet veel waard en als het barrel naar de sloop moet, zal ik bij moeten lappen.

'Het is eigenlijk een gunst,' zegt hij, 'dit bod. Een gebaar, begrijpt u, na het overlijden van uw man.' Hij zucht. 'De dingen die dan op je afkomen, praat me er niet van.' Ik zie hem zijn hoofd schudden, een gebaar maken, de wanhoop van een man alleen. Het geregel, de onverwachte kosten. Hij weet er alles van, vertelt zonder omhaal over zijn vrouw op haar sterfbed, haar blik afgewend, starend naar gordijnen. 'Geen woord kwam er meer uit, al die weken. Weet u wat dat met je doet als man?'

Ik pas me aan, kameleon, kleuren, stemming, spreektaal. Ik kan me er iets bij voorstellen. Het tegenovergestelde, maar met hetzelfde effect. Ik zeg dat ik zijn gunst weet te waarderen, zijn bod op de Toyota, maar dat ik twijfel, ik ben gehecht aan ons karretje. Herinneringen aan Pepe achter het stuur, zingend, trommelend, als de dag van gisteren, man man, praat me er niet van, van alles wat ook deze sjacheraar dus zo goed schijnt te kunnen begrijpen. Nee, we hebben nooit grote problemen met die auto, soms een klein mankement. Remkabels, olie, ruitenwissers. Dat is het wel zo'n beetje.

'Tering,' zegt hij. 'Dus de grote problemen gaan nog komen.'

'Ja,' zeg ik. 'De grote problemen gaan nog komen.'

'Als u maar weet dat mijn bod nog staat,' zegt hij. 'Ik sta aan uw kant.'

'Fijn om te weten,' zeg ik. 'Vooral nu. Echt heel fijn.'

'Dus u stemt ermee in?'

'Het was nog niet bij me opgekomen om de auto weg te doen,' zeg ik.

'Geef niets, ik heb de tijd.' Een fluitje tussen zijn tanden door. 'Zodra ik er anders over denk, laat ik het u weten.'

Weer zo'n fluitje, scherper dit keer. 'Ik bel u nog,' zegt hij dan. 'Aju.'

～

Er waren dingen die Pepe zich feilloos herinnerde van hun vertrek uit Madrid, de reis met de trein naar het noorden. Hoe zijn moeder op het station in Asturië haar schouders liet hangen. Hoe een boer naar haar keek, de ogen van een verraste koopman die met een geheimzinnig lachje zijn ossenkar aanbood. Hoe haar gezicht verstrakte – geen geld, geen eten, kinderbenen die niet verder wilden na een lange treinreis op harde banken – haar hele lichaam leek te weigeren en hoe ze toch knikte.

Pepe bedankte beleefd voor het brood dat de boer uitdeelde. De apostel zou hem erom prijzen. In het geboortedorp van zijn moeder zou hij naar school gaan, leren lezen. Pepe zou niet alleen copla's bedenken voor kinderen met honger, hij zou ook de bergtoppen beschrijven die daar voor hem lagen. Had hij zoiets al niet eerder gehoord, een lied over de bergen? De witte wolkenplukken deden hem denken aan een taartenwinkel in Madrid waar hij ooit naar de etalage had staan kijken. Pepe lachte. Voor het eerst zouden ze vol bewondering naar hem luisteren, zijn broers. Hij ging rechtop zitten, de regels herhalend in zijn hoofd, zijn keel schrapend. Toen hief hij zijn hand en droeg het vers luid voor.

De hemel is een taartenwinkel, kijk,
ze drijven naar je toe, de roomkastelen
met zonlichtsaus, en niemand vraagt om geld.
Wie zou nog brood of witte bonen stelen?

Een klets in zijn nek. Manolo snauwde dat hij een ram voor zijn harses kon krijgen als hij zijn kop niet hield met zijn gekweel over witte bonen. In deze streek waren grotten waar maquis zich verborgen hielden, mannen van het verzet tegen Franco. De stem van zijn oudste broer ging verder op fluistertoon, maar Pepe verstond elk woord uit die scherp sissende mond. Iedereen kon je vijand zijn, je verraden. Ook de boer die daar voor hen liep naast zijn ossen. Mensen verdwenen, kinderen. Er waren rotsspleten: te diep om een lichaam in terug te vinden. Of hij daar wel over had nagedacht. Manolo maakte een gebaar alsof zijn jongste broer een meisje was en Pepes wangen gloeiden van schaamte. Als zijn benen niet zo slap waren geweest, had hij ook naast de kar kunnen lopen, brede schouders, zwaaiende passen.

Gumer ging staan, klemde beide meisjeshanden om de rand van de kar. Haar gelapte jurk haakte aan de gevlochten twijgen. Ze keek Pepe strak aan. 'Zie je wel, Pepin, het is jouw schuld dat vader ons niet meer wil. Die meidenkop van je, die wrattenklauwen. Hij schaamt zich dood. Voor mij zou hij zijn teruggekomen.'

Fina gaf een trap tegen haar rug waardoor Gumer bijna voorover duikelde op het karrenwiel. 'Je liegt, stomme trut! Hij wil jou niet meer, dat heeft hij gezegd, want jij grient alleen maar en vreet hem nog het vel van zijn lijf.'

Gumer gilde, maar niemand trok zich er iets van aan. Zelfs zijn moeder niet die als verdoofd naast de boer liep. Toen zakte zijn zus terug op de zak met kleren, twee vingers in haar mond.

Zag hij daar een man? Pepe wilde spugen zoals Manolo dat kon, dikke fluimen die konden rekenen op de afkeuring van zijn zussen, maar hij schoot omhoog. Was het de apostel die daar stond? Santiago moest hem inmiddels toch op het spoor zijn. Wie anders dan hij, Pepe, zou zijn leerling kunnen zijn? Misschien kreeg hij een stuk brood, een schijfje sinaasappel...

Stammen met ronde ruggen. Een tak die op een hoed leek. Pepe viel terug op de kar, vlekken voor zijn ogen. Zijn keel schrijnde. Hij probeerde zijn teleurstelling weg te slikken. Dit waren de beproevingen waar de nonnen in Madrid over hadden gesproken. Een geweldig leven kreeg je niet zomaar, daarvoor moest je eerst een hoop narigheid doorstaan. Zijn vader die hem niet meer wilde. Zijn broers en zussen die hem uitscholden: 'Chica, chica!' Zijn honger.

De kar reed van de weg af, de boer tikte met zijn stok de ossen op hun neus en de wielen kwamen krakend tot stilstand. De man draaide zich om. Een laag voorhoofd. Te veel haar. Weer die vreemde lach. Manolo kreeg een touw in handen gedrukt, zodat de dieren op hun plek bleven. De boer zei dat de kinderen in de kar moesten wachten tot ze terug waren. Toen pakte hij de arm van Pepes moeder. Ze gingen iets te eten halen. Daar ergens stonden appelbomen.

Pepe zag geen appelbomen. Een van de ossen loeide. Iets verderop in het veld stond een schuur op hoge palen. Daar liepen ze heen. Er hingen bonen te drogen aan de dakrand, strengen gevlochten maïs. Het zag er feestelijk uit. De man trok aan zijn moeders arm, duwde haar voor zich uit. Het leek alsof ze niet mee wilde. Haar smalle rug huilde en opeens moest ook Pepe huilen.

Fina trok hem naar zich toe. 'Weet je wat moeder heeft gezegd? Vader is niet weggelopen, hij is dood.' Ze veegde zijn natte wangen af met haar jurk, sloeg haar armen om Pepe heen en wiegde hem. 'Vader is dood en komt nooit meer terug.' Haar buik schokte ineens heftig.

De zon werd ondraaglijk heet en nat. Zijn ogen staken en brandden. Daar was Santiago. Zie je wel, die liet hem niet in de steek. De apostel kwam op hem af door al dat geel, een glanzende schelp op zijn hoed. Hij wilde iets zeggen, krabde zich tussen de krullen van zijn baard toen hij Pepe zag huilen, schudde zijn hoofd, draaide zich om en loste op in een wervelwind van dwarrelend blad en zand.

Pepe rukte zich los van Fina en veegde zijn neus af. Mooie leerling was hij. Een martelaar die zat te grienen. In de straten van Madrid spuugden de mannen op de vloeren van cafés, ze dronken en lachten met rauwe keelklanken. Als je iets deed wat hun niet aanstond, kon je een klap krijgen in je nek, een schop onder je kont. Huilen zag je ze niet, nooit, en het waren geeneens helden.

5

Sommige planten in onze tuin hebben het moeilijk. Pepe heeft ze als stekjes meegenomen uit Spanje en in Nederland in de vettige kleigrond gepoot. Maar de agaves, die in Catalonië als reuzenoctopussen uit de aarde verrijzen, staan hier als versuft naast de windroos.

De zon breekt door zonder warmte af te geven, toch laat ik de keukendeur openstaan. Het water voor de thee is lauw geworden en ik zet de koker opnieuw aan.

Op aanraden van mijn vriendin Visi drink ik thee zonder theïne. Je kunt er beter van slapen, zegt ze. Maar ik slaap goed, ik slaap beter dan ooit en heb geen idee wat dat zegt over mij. Misschien moet ik klaarwakker blijven, schreeuwen in mijn kussen. Mijn man is dood, mijn lieve Pepe die geheimen voor me had, een daad op zijn geweten die geen mens zal begrijpen. Maar ik slaap als een uitgeputte os.

De waterkoker klikt uit en de spreeuwen vliegen schrikkerig op. Ik vul het ei, knijp honing uit de fles. Dan haal ik de kruik met Pepes as van de schoorsteen en zet hem naast het theelichtje. Voor het keukenraam drinken we thee.

Ik zal niets zeggen over mijn nachtrust als ik mijn slapeloze vriendin weer spreek. Zoals ik ook niets zeg over die laatste dagen met Pepe, ons leven waarin ik voorheen nooit een puzzel had gezien. Al die losse stukjes die ik voortaan met geen mogelijkheid meer in een doos onder de bank kan schuiven als ik er even geen zin in heb.

De buurvrouw rommelt met servies, haar keuken grenst aan de mijne. Ook haar man is overleden, maar we gaan niet bij elkaar op bezoek. Laatst klopte ze met de steel van de bezem op het bovenraam. Ze reikte een pannetje aan over de schutting. Soep, getrokken op een sudderplaatje, rundvlees, beenderen verzaagd tot mergpijpen. De geur alleen al.

El *carnicero loco*. Een oude Catalaanse sketch die Pepe met mijn vader opvoerde in dorpen met veeboeren. De gekke slager die bouillon maakte van zijn vrouw. De slagerszoon besloot het bedrijf van zijn vader voort te zetten met menselijk vlees van zwervers, verdwaalden en daklozen, tot er in de wijde omtrek geen sloeber meer over was. Toen waren de eenzame ouderen aan de beurt. Een kromgegroeide vrouw werd gespeeld door mijn moeder met een grijze pruik. Een oude opa door José. De slagerszoon met zijn bebloede schort kon ongestoord zijn gang gaan tot een buurman een ring van zijn oma in de worst vond.

De zon blijft koud. De thee is sterk en ik drink de hele pot leeg.

Die twee, Pepe en mijn vader. De lol waarmee ze de rol van slager en zoon op zich namen. De grap die naarmate de sketch vorderde serieuzer werd. Een pan met warme bouillon in de coulissen. De verbijsterde koppen van de veeboeren als ze halverwege de voorstelling de geur opsnoven.

Ik sta op, spoel de theepot om bij de kraan en doe mijn schort af. Voor de spiegel in de gang draai ik mijn haar in een wrong. Eerst stofzuigen. De boel schoonhouden.

Bij de kapstok blijf ik staan. Pepes jas. De opstaande kraag, een voering alsof er nog iets van hem inzit.

Ik doe mijn ogen dicht. Dit is wat ik me wil herinneren. Niet mijn vader als de gekke slager, maar Pepe en ik. Wij samen.

Weer horen hoe hij lacht, me geruststelt, verleidt, mee naar de trap, naar boven. Hoe vaak kwam dat niet voor. Zijn lippen in mijn hals. Mijn borsten in zijn handpalmen. Nooit zelf initiatief nemen bij Pepe, nooit.

Met een harde klap blaast de wind de keukendeur dicht. Kabaal in de tuin. Spreeuwen dreigen niet door vleugels te spreiden of hun pootjes uit te slaan. Ze vallen aan met keiharde snavels. Mijn telefoon zoemt.

Me niet laten afleiden nu. Stilstaan, ogen gesloten. Rechts van me is de kapstok. Daar is hij, zijn adem, warm, plagend. Een mannetjesvogel, het vrouwtje liefkozend in de veren pikkend. Dat proberen vast te houden. Niet weggaan, Pepe. Blijf, por favor.

6

Het werd een gedicht, de copla over het geboortedorp van zijn moeder in de bergen bij Nava. Pepe dacht dat hij er naar school mocht, eindelijk zou leren lezen en schrijven. Maar er moest gewerkt worden, er moesten bonen geplukt, maïs geoogst en koeien gemolken. Met geen woord repte hij over de heilige apostel Santiago en het leerling-zijn. Zijn broers zouden zich doodlachen, hem onmiddellijk tegen de grond drukken en op zijn kop pissen om te kijken hoe ver ze konden gaan voor hij jankend schreeuwde om genade.

Zijn moeder kwam de trap af van het kleine huis waarin ze hun intrek hadden genomen. Haar schouders leken veel te smal voor het werk bij de tuinders. Ze sloeg haar hoofddoek om en Pepe wilde zich tegen haar aan drukken, met haar meegaan, zijn knieën in de modder duwen om voor haar aardappels te poten in de kleffe klei, rij na rij. Hij was geen meisje. Maar ze duwde hem van zich af. Een schop tegen zijn achterste. 'Opschieten jij, je bent veel te laat. Straks is iedereen al weg.'

Pepe stoof de mistige dorpsweg op. Hij klemde de klompen onder zijn armen om zo hard mogelijk te kunnen rennen, negeerde de kiezels die in zijn blote voetzolen prikten. De koeien stonden al buiten en de boer gaf hem een klets tegen zijn kop. De druppels aan zijn neus spatten op Pepes gezicht. 'Lopen, jong.' Hij drukte een appel in zijn hand.

Pepe klakte met zijn tong zodat de dieren hem volgden, het pad op naar de bergweide. Soms was hij bang dat ze hem zouden platdrukken tussen hun logge lijven. Als ze weigerden verder te lopen, sloeg hij met de stok en als ze een maïsveld in wilden, hing hij met heel zijn gewicht aan hun staart en schold met alle vuile woorden die hij kon bedenken.

Pepe wilde de appel opschrokken met klokhuis en al. Bedacht zich. Wat als Santiago toekeek? Hij smeet de vrucht met pijn in zijn buik in de bosjes en nam nog grotere passen. Het pad naar boven was glibberig en zat vol kuilen. De koeienhoeven gleden weg in de modder en Pepe rook de naderende regen. Het zou koud zijn daarboven, voor ze weer terug mochten naar het dorp. Maar hij zou sterk zijn, niet aan het warme fornuis denken, niet aan de kom maïspap. Hij kon het toch niet laten om even naar het dorp te kijken, het overwoekerde dak van hun huis, dat van zijn tante, de zus van zijn moeder die zich nooit liet zien. Er kwam zelfs geen spat geluid uit het huis naast hen.

'Leeft tante nog wel?' had hij aan zijn moeder gevraagd.

'Si, si.' Ze was even opgehouden met het afrissen van de maïs en had haar vinger tegen haar lippen gelegd.

'Waarom komt ze dan nooit bij ons?' fluisterde Pepe.

'Je tante doet alsof ze gestorven is.' Zijn moeder liet het mes weer langs de kolven gaan. Het afrissen was veel werk, en de korrels moesten eerst nog worden gemalen bij de molen voor ze tot pap konden worden gekookt.

'Vindt ze dat fijn, dood zijn?'

'Nee, kind.' Zijn moeder veegde met haar mouw aan weerszijden van haar neus. 'Maar als ze weten dat ze leeft, komen ze haar halen.'

Pepe voelde een schok onder in zijn maag. 'Wie komt tante dan halen?'

'Dat gaat je niks aan, Pepin.' Zijn moeders gezicht leek opeens oud. 'Maar denk erom, je mag nooit naar haar toe. Nooit.' Ze hief haar eeltige hand die harde tikken kon uitdelen. Toen had ze de emmers van de muur gehaald en hem weggestuurd voor water.

De regen kwam, viel in zware klodders uit de lucht. De bergen werden grauwe ruggen, dampende neusgaten. Daar ergens hield een man zich verborgen, geweer op de rug, kale plekken tussen wild haar. Ogen die Pepe dreigend aankeken als hij zonder iets te zeggen een van de koeien molk en daarna weer de berg op vluchtte.

Stroompjes kwamen op gang dwars over het pad, eerst sijpelend, maar al snel in een bruisende vloed die takken met zich mee sleepte, zand, een jong konijn, aangevreten, de ogen uitgepikt. Pepe nam een sprong. Als de apostel zou zien dat hij een uitstekende leerling was, zou hij er vast voor zorgen dat zijn moeder op een andere manier geld kon verdienen.

Je bent gaan liggen op het veld, bij Nava,
je lippen en je vingers in de klei.
Er schieten wortels uit je mond, je handen.
Het regent, het is warm en dampig.
En is er op je rug een struik gegroeid,
dan snijdt je moeder witte rozen,
die zij verkoopt op elke markt
van Santander tot Oviedo.
Thuis is er bonensoep met vlees,
want op je huid, die zachte, warme aarde,
daar bloeien rozen tot in eeuwigheid.
Bij Nava staan de rozen in het veld.

Opeens was Fina er, ze lachte en hielp hem al schreeuwend de koeien de wei in te drijven. Haar felle stem verdreef zijn angst, deed de dieren opschrikken die elkaar verdrongen in hun haast om haar te gehoorzamen.

'Kom Pepin, ik heb iets voor je.' Ze trok hem mee naar de aarden wal aan de rand van de wei en graaide in haar rok.

'Ik wil geen ei.'

'Je moet. Jongens van jouw leeftijd zijn al koppen groter.' Met een steen tikte Fina een gaatje in de bovenkant van het ei. Ze fronste. Als ze te hard tikte brak de schaal en zou ze vloeken als een boer. Pepe wist zeker dat ze het ei ergens uit een schuur had gepikt.

'Moet je niet naar je koeien?' Hij trok zijn knieën op. 'Straks lopen ze de buurwei in en krijg je slaag.'

Fina gooide de steen weg en pakte Pepe bij de kin. 'Mond open, jij.' Ze had aan de onderkant van het ei ook een gaatje gemaakt waar ze haar duim tegen hield, maar Pepe rukte zich los. 'Wil jij geen man worden, dan?' Fina keek streng en schudde haar hoofd. Ze was maar een halve kop groter, maar veel sterker. 'Je wilt toch een held worden?'

Hij knikte. Alleen Fina wist van zijn geheim.

'Nou dan.' Ze keek streng.

'Is tante een rooie?'

Een tik tegen zijn wang.

'Als ze weten dat ze leeft, komen ze haar halen, zegt moeder. Maar wie dan, wie komen haar halen?'

'De Guardia Civil, Pepin, wie anders.' Fina fluisterde, alsof er ook tussen de koeien verraders zaten. 'Ze willen weten waar oom Jorge is. En nu kop dicht.'

'Was vader ook een rooie?'

Een mep tegen zijn oor, niet minder hard dan die van zijn moeder. Zijn oor suisde.

Fina trok zijn hoofd achterover. Pepe kneep zijn ogen stijf dicht en opende zijn mond. Misschien was de man met het geweer op zijn rug wel zijn oom en mocht niemand dat weten. De struif droop zijn keel in. Hij slikte, kokhalsde, maar zette door tot het ei leeg was. Rillend sprong hij op, kloste op zijn klompen tussen de koeien door en hapte naar de regendruppels om zijn keel schoon te spoelen. Ook Fina ging staan, haar wangen lieten kuiltjes zien. Ze sprong achter hem aan met wapperende armen. De modder droop van haar jurk en benen. Toen ging ze ervandoor. Ze kon niet goed rennen op haar klompen, maar als haar koeien wegliepen, kreeg ze slaag. De regen had van haar haren wilde krullen gemaakt, waardoor ze een stuk groter leek. Fina was nooit bang, zelfs niet voor de wolven die in de winter uit de bergen kwamen geslopen en met gemak een jongetje van acht jaar oud verscheurden. Zonder aarzeling hakte zijn zus een slang in stukken. En als de oude vrouwen in het dorp beweerden dat ze naar de hel ging als ze niet oplette, lachte ze en deed hun gestrompel na met kromgetrokken schouders.

Pepe zette zijn klompen aan weerszijden van een koeienplas. De warme wasem kroop in de pijpen van zijn overall. Voor even voelde hij zich net zo sterk als zijn zus. En hij zou sterker worden. De apostel had hem uitgekozen en over een tijdje zou niemand nog tegen hem op kunnen.

De zon brak door, dwong de regen tot stoppen. Een onverwachte warmte gleed over de bergwei. Hoenders, hoorde Pepe, een voorzichtig gekakel, het gelispel van bijeneters. Hij zong ineens. Een lied dat zijn moeder zong in Madrid toen zijn vader nog thuiskwam met brood en ham, granaatappels waar sappige zoete bessen uit rolden als je ze doormidden brak en met het heft van een mes op de schil sloeg. De koeien stopten met grazen, de stenen in de aarden wal werden ogen die vol bewondering naar hem opkeken. Een koor van jongensstemmen, mensen die de berg op kwamen om naar hem te luisteren. De koppen van zijn broers in stomme verbazing.

Vertel mij, kleine distelvink,
vertel eens, bekje van ivoor,
jij kwebbelaar en kletsmajoor:
wat eet jij alle dagen op het veld?

Je leeft van zand en kiezelsteen?
Dat zeg je, maar het is niet waar.
Je bent een kleine leugenaar,
je ogen en je wimpers zijn roetzwart.

Naar Covadonga wil ik gaan,
met blauwe druiven en jasmijn.
Daar zal mijn liefste meisje zijn.
Ik zie haar ogen en er klinkt een lied.

Het licht staat helder om ons heen.
Wij eten brood, wij drinken wijn.
Een weelde zal ons leven zijn:
olijven, dadels, noten, abrikozen.

Vertel mij, kleine distelvink,
vertel eens, bekje van ivoor,
jij kwebbelaar en kletsmajoor:
wat eet jij alle dagen op het veld?
Jij leeft toch ook van zon en blauwe druiven?

7

Ik sta op van de bank in de huiskamer waar ik kennelijk de nacht heb doorgebracht. Als kind kon ik overal slapen, was niet anders gewend. Nu voel ik me gebroken. Het album waaraan Pepe is begonnen toen hij niet meer in de tuin kon werken, ligt opengeslagen op de tafel. Herinneringen waar ik maar geen duidelijke lijn in kan vinden. Knipsels uit kranten. Een brief van de paus aan Franco in 1939: *Wij verheffen ons hart tot God en danken uwe excellentie oprecht voor de overwinning van katholiek Spanje.* Spotprenten: Franco en Hitler als parende hondjes – *Een formidabele overwinning voor het fascisme.* Aankondigingen voor onze optredens. Stapels foto's. Belachelijk veel van mijzelf, telkens in een andere jurk, met een ander kapsel.

Hoe Pepe zo'n foto kon oppakken, zijn bril erbij opzettend, licht voorovergebogen wijzend. 'Dat moet in Salamanca zijn geweest, potverdorie, die mensen die het podium op klommen. Krankjorum waren ze. Kijk toch eens, Juani, en wat was je mooi, cariño. Je zong als een engel.'

In de keuken zet ik koffie, jankend.

Eerst ontbijt! De stem van mijn moeder, dwingend als vanouds: eten is belangrijk, waar dan ook, hoe beroerd je je ook voelt. Magdalena's, een zachtgekookt ei. Mes en vork gebruiken, hoe sneu je ook bent.

Ik schuif de foto's en knipsels opzij en dek de tafel. Dan

haal ik de kruik met as van de schoorsteen en zet hem naast mijn bord. 'Met een man als Pepe zal je geen honger lijden, mi niña.'

Ik tik het ei open, smeer eigeel uit over een boterham, maar na een paar happen geef ik het op. De stilte in het huis, randen langs het plafond die nodig moeten worden gewit. Radiatoren waar lucht uit moet, het sleuteltje – ik zou bij god niet weten waar.

Waarom kon Pepe het wel, op de valreep dan, en ik niet? Mijn gedrag onder ogen zien; gebeurtenissen vertellen zonder er een draai aan te geven. Juist hij zou me hebben begrepen.

Ik zet de kruik terug op de schoorsteenmantel, ruim niet af. Het is lang geleden dat ik in mijn kleren heb geslapen, ze plakken aan mijn lijf. Boven laat ik ze op de badkamertegels vallen en neem een douche, de harde straal klettert op mijn schouderbladen, de wervels van mijn nek, steeds heter. Huid afspoelen, vlees en spieren, weg ermee, tot op het bot. Geen verlangen meer naar Pepe, geen angst voor het alleen zijn of de volslagen nutteloosheid van mijn dagen.

In Spanje had ik maar één koffer, makkelijk te dragen voor een meisje. Mensen gaven ons worst en wijn als ze geen geld hadden voor de voorstelling. Ze schoven achteraan in de rij, zochten troost in verhalen en verborgen hun armoede uit schaamte onder hun jas of schort. Misschien is dat nu nog wel zo.

⌒

De huizen waar ik als klein meisje voor de spiegel stond was nooit ons eigen huis, en de kinderen die ik zag behoorden moeders toe die we nooit zouden leren kennen. Daar stond ik, alleen, en stelde me voor dat er een prinses verscheen in het glas. Ze hief haar armen en liet haar handen een sierlijke dans uitvoeren terwijl ze naar me lachte.

'Wij zijn zusjes,' zei ze.

'Niet,' zei ik. 'Lola is mijn zus.'

'Waar is ze dan, jouw Lola, Lola, Lolaaaa...' zong ze.

'Lola is bij de grote mensen. Zij is ook al groot.' Ik wees naar ver boven mijn hoofd.

De prinses stak haar tong uit. 'Lola is een halfzus. Dat telt niet.' Toen omhelsde ze zichzelf; ze huilde niet zoals ik, ze lachte en stopte kusjes in haar hand die ze naar me toewierp. 'Denk maar dat wij zusjes zijn,' zei ze, 'als je heel hard denkt dan is het zo.'

Soms vertelde ze verhalen of gingen we dansen. Maar als we in een stal of schuur moesten slapen, kwam ze niet want daar hingen geen spiegels. Toch liet ze me nooit in de steek. Ook niet in het verlaten huis waar we de nacht doorbrachten rond het gloeiende fornuis. Ik herinner me nog hoe de kippen er een zootje van hadden gemaakt. Als het noodweer was opgehouden en we niet zo doorweekt waren geweest, had mijn moeder geweigerd er naar binnen te gaan. Ze haatte verlaten huizen met klapperende luiken en kapotte vensters. De voordeur droeg een litteken, alsof een bijl het hout had gespleten, en mijn vader verbood ons naar de andere vertrekken te gaan voor hij ze zelf had gezien.

Het licht was stuk. Mijn tante Soledad en Lola zaten als druipende poppen aan de keukentafel en weigerden me op hun schoot. Mijn moeder ontstak een kaars, ze inspecteerde het fornuis met de stapel hout ernaast en mijn vader vond een olielamp die nog wilde branden. Het glas was zwaar beroet en de kous gaf een flauwe vlam, maar het was genoeg voor een verkenningstocht.

Niemand lette op mij. Het huis werd een krakend theater.

Ik volgde mijn vader op mijn tenen de duistere gang in waar je de stroperige lucht op je tong proefde en de lamp hoorde sissen tegen het glas. Een deuropening. Kasten als schimmige decorstukken, een spiegel met vergulde lijst waarin ik mijn spiegelzusje tevoorschijn toverde in haar prinsessenjurk. Ze drukte een vinger tegen haar lippen en fluisterde dat ik niet bang moest zijn. Ik had ze toch al eens eerder gezien, de bleke mannen en vrouwen zonder adem. 'Denk maar dat ze toneelspelen,' zei ze, 'als je heel hard denkt dan is het zo.' Toen wees ze naar het vloerkleed.

Ze was er nog, de vrouw van het huis. Een pop op een vloerkleed vol rozen, een spel van duivels en monsters. Ze hadden van haar gegeten, huid geschept, wijn gemorst. Haar mond hing open, alsof ze niet opgehouden was met schreeuwen en nu alleen de lucht miste om het geluid voort te brengen.

Als mijn vader had geweten dat ik over de drempel toekeek, was hij niet op zijn knieën gevallen. Dan had hij niet geprobeerd haar ogen te sluiten, de lelijke woorden gepreveld die ik hem nooit meer zou horen zeggen.

Ik weet nog dat ik ervan gruwde, niet van het toegetakelde lijf van de vrouw, de starende ogen of het bloed tussen haar benen. Ik verafschuwde de gouden tanden die ik nooit eerder had gezien en die glansden in het licht van de olielamp.

We sliepen die nacht op de vloer van de keuken terwijl de houtblokken in het fornuis de kou verjoegen. Onze kleren hingen te drogen over de stoelen, en mijn vader liet zijn hoofd rusten tussen zijn armen op het tafelblad. Buiten schaterde de wind. We vertrokken zodra de zon opkwam. Ik liet mijn spiegelzusje vrolijk lachen toen ik haar gedag kwam zeggen en nog even bij de vrouw op het kleed neerknielde om naar haar tanden te kijken. De haan kraaide alsof het een heel gewone dag was en de kippen liepen heupwiegend door het huis.

Mijn moeder nam alleen de verse eieren mee voor onderweg. Ze klaagde dat onze kleren stonken en dwong ons halverwege de tocht naar het volgende dorp onze jurken uit te trekken om ze te wassen in een sloot. Ze boog voorover en liet haar haren in het ijskoude water zakken. Daarna trokken we verder en zongen liederen, canciones populares, tot de eerste bewoonde huizen in zicht kwamen.

Ergens toen is het liegen begonnen, nog tegen mezelf, dat wel.

Ik huppelde, maakte een radslag. Alles was een toneelstuk geweest. De dode vrouw in het huis achter ons was allang weer opgestaan. 'Alé.' Ze had haar toneeljurk uitgetrokken, een schoon schort voorgebonden, de bezem gepakt, de kippen weggejaagd. 'Naar buiten jullie. Vort.' De buurman was geroepen om de deur te repareren en het hout voor de kachel bij te vullen.

Ik drukte mijn hand tegen de bobbel in mijn jaszak. Waarom zou die vrouw gouden tanden dragen als mijn moeder haar sieraden al lang geleden had ingeruild om ons allemaal te laten eten?

8

'Weet je waarom ik je leuk vond?' In het ziekenhuis trok Pepe me naast zich op het bed.

'Nou?'

'Je had je haar geverfd, roze, een kleur die niet bestaat voor haar.'

'Als dat alles is.'

Pepe stak zijn handen in de lucht. 'En waarom vond je mij leuk, opeens, na me een jaar te hebben genegeerd?'

'Geen idee.'

'Caramba, muchacha!'

Een alarm ging af naast zijn bed. Een zuster bracht nieuwe vloeistofzakken voor het infuus. Ze tikte tegen de druppelaar alsof ze het ding maande bij de les te blijven en kiepte de lege zakken gedachteloos in een afvalbak. Ik ging op de stoel naast het bed zitten, sloeg een vest om mijn schouders.

'Ik had het willen weten, Pepe.'

'Wat?

'Alles wat je me nu vertelt.'

'Waarom? Wat zou je dan anders hebben gedaan?'

'Ik zou naar je hebben geluisterd, meer van je hebben gehouden of zoiets.'

'Je hebt me genoeg liefgehad.'

'Ik zou alles beter hebben begrepen. Dat denk ik. Ook mezelf.'

'Ik wilde je niet kwijt.' Pepe zakte tegen de kussens. Ogen die hier lichter leken, zachter; rustig maar.

De airconditioning gonsde. Er werden bloemen gebracht. Ze stonken al voor ik ze uit het papier haalde. Buiten klonk de sirene van een ambulance. Blauwe flitsen langs de muur die waarschuwden, voorrang kregen, waar en hoe dan ook, werden opgeslokt in de buik van het ziekenhuis.

Niks geen rustig maar. Ik had door moeten vragen, toentertijd. Ik had verdomme de aangebrande melk van de bodem moeten schrapen: Wie ben jij, wat is er met je gebeurd? Een mespuntje inlevingsvermogen zou me hebben gesierd in al die uren waarin Pepe stil voor zich uit zat te staren.

De bloemstelen pasten niet in de vaas, snotterden onder mijn vingers weg. Knalrode en gele bloemblaadjes plakten aan mijn schoenen, het zeil.

Of was ik achteraf gezien meer bezig geweest met mezelf, actrice, gewend om alle aandacht op te eisen, alleen tevreden met staande ovaties?

⌒

Toen de schemering viel op de bergweide, hoorde Pepe de eerste boeren terugkeren naar het dorp. Het piepen van de karrenwielen. Die van de buurman, de tuinders van verderop, gekke Luis met zijn schurftige hond. Soms zongen de boeren mee, maakten een lied op de muziek van hun kar. Als het schuren te erg werd en de assen gingen roken, smeerden ze het hout in met spekvet. Een bonk aan een touw.

Een steen trof hem vanuit het niets, gevolgd door een klomp klei. Zijn kop sloeg opzij door de zwaarte van de kluit, een regen van modder. Hij wankelde, hervond zijn evenwicht en tuurde naar de aarden wal, de dichte struiken.

Ze doken op vanuit de mistflarden. Geen guardia's, maar magere schimmen die bukten en naar stenen graaiden tussen het gras. Zijn knieën knikten. Gewone jongens zouden nu wegrennen, maar dit was het... Dit was de volgende beproeving die hij moest ondergaan. De koeien stampten onrustig terwijl hij zijn klompen tussen de graspollen plantte, bevend zijn armen voor zijn borst kruiste.

Opnieuw een steen. Een pijnflits tot in zijn knieën. Geritsel in het gras achter hem.

'Kijk eens wie we daar hebben. De zoon van dat wijf dat voor iedereen d'r benen spreidt.' Een hijgerige jongenslach. Een stem die hij eerder had gehoord in het dorp. Iemand trok aan zijn oor, draaide tot hij gilde.

'Wij willen jullie hier niet, hoor je. Jij met je smerige broers en zusjes.' Een andere stem siste vlakbij, een vuist onder zijn neus. 'Of is je vader niet dood, wil hij jullie niet meer?'

Pepe kneep zijn ogen dicht. Een trap in zijn rug waardoor hij voorover viel. Opstaan. Doorzetten. Hij was belangrijker dan zijn broers, slimmer dan de dorpsjongens. Die sukkels. Hij begreep dat nu ook beter.

'Kijk, dat hoerenjong slaat een kruis.' De jongens lachten schreeuwerig. 'Alsof dat wat helpt voor een bastaard.'

Hij werd als een speelbal van de een naar de ander geduwd.

Je moeder is een hobbelend rijtuigje
voor iedere koetsier.
Je moeder is een deinend scheepje
voor elke passagier.
Ach kindjelief,
van wie ben jij een wandelend souvenir?

Sterk zijn nu. Staan blijven.

De grootste van de jongens greep in Pepes haar, dwong hem op zijn knieën en rukte zijn kop achterover. Zijn hand was gevuld met modder. 'Nog lachen ook?' Hij haalde zijn neus op, spoog op de blubber en drukte die in Pepes gezicht. 'Vreten, flikkertje, ik schijt op je dooie pa, je moeder, die hoer. Vreten zul je.'

Pepe perste zijn lippen op elkaar, voelde toch het zand tegen zijn tanden schuren. De jongen was te groot, te sterk. De aarde glibberde zijn mond binnen. Wormen-wortels, een kronkelende kluwen. Zijn maag verkrampte, schokte, maar de vuist van zijn belager zette een schroef om zijn kin, zijn neus. Hij wilde zich losrukken, lucht, hij wilde lucht, schopte.

Het vervaagde, het pijnlijke gebonk in zijn borst, het gestamp en geschreeuw. Zijn lijf werd slap, liet alles gaan, een warme stroom tussen zijn benen.

Opeens was hij los. Een meisjesstem krijste, Fina. Haar armen maaiden woest, een mes in haar hand.

'Laat mijn broertje los! Kunnen jullie wel, stelletje idioten. Met z'n allen tegen één. Oprotten. Wegwezen of ik snijd jullie koppen aan flarden.'

Weg vluchtten ze, zijn kwelgeesten die ouder waren, groter, over de muur naar waar ze vandaan kwamen, de berg op. Bang voor zijn zus, haar ogen, de wilde haren, het mes.

Pepe steunde op handen en knieën en braakte modder, kwijl. De sukkel, zouden zijn broers zeggen, el imbécil die zijn broek volpist en gered moet worden door zijn zus.

Fina trok hem overeind. Een van zijn klompen was gebroken. Ze viste de kap uit de modder, beloofde de breuk te repareren. Toen pulkte haar vinger het zand uit zijn mond, maar hij bleef kokhalzen, kon niet ophouden. Zijn ogen begonnen te tranen.

Fina sloeg haar armen om hem heen en even liet hij zijn hoofd hangen. Koeienkoppen schoven tegen hen aan, een wolk van vochtige adem, ze duwden hen bijna omver. De dieren wilden de wei uit: de kou steeg op uit de grond, het donker dreigde met roofdieren, terug naar de stal wilden ze.

Pepe rukte zich los van Fina en spoog het laatste zand uit zijn mond. Mooie leerling was hij met die jankogen. Hij klemde de gebroken klomp onder zijn arm, schreeuwde tegen de koeien, sloeg zo hard tegen hun flanken dat de dieren met paniekerige sprongen het pad op renden richting het dorp. Hij zou het goedmaken door nog minder te eten. Ook zijn andere klomp ging uit. Monniken liepen op blote voeten, zelfkastijding noemden ze dat. Zijn hand mocht eraf als het moest. Santiago zou hem zijn tranen vergeven en goedkeurend knikken.

9

Ik berg Pepes leven op in de zolderkast – *doorgaan met leven, Juanita* –: zijn kleren en schoenen, de jas van de kapstok, zijn werkhandschoenen en zijn pet met de grauwgesleten voeringband. Ik mik alles in het hol onder het schuin aflopende pannendak. Dan schuif ik het schot dat een deur moet voorstellen op zijn plaats, en was mijn handen in de badkamer. Sterk zijn. Zelf nadenken en beslissingen nemen. Me niets laten aanpraten. Geen dingen doen waar ik geen zin in heb. Zo zou Pepe het hebben gewild.

In een opwelling neem ik zijn fles met aftershave van de wastafel en loop naar beneden. Neuriënd spuit ik de geur in de kruik op de schoorsteenmantel. Ik ruik je nog, Pepe. Ook zonder je kleren, je jas. Je bent er nog. Wat dacht je.

In de keuken zet ik het mes in een sinaasappel. Ik scheur partjes los, klieder met het vruchtvlees, ga voor het raam staan en eet gulzig. Eten tegen alles in, de stilte, de verlatenheid. Kauwen en doorslikken. Het lijf laten werken. Alles wat het nog doet. God weet voor hoelang? Maag, darmen, bloedvaten en het hart, dat uitgeputte hart.

Misschien moet ik het gewoon doen, een reizend leven beginnen zoals mijn ouders hebben gedaan. Geen vlucht, maar gewoon... weg. Ik heb mijn rijbewijs nog en de Toyota, godzijdank de Toyota.

Opnieuw je copla's voordragen, Pepe, overal waar mensen

willen luisteren. Aan keukentafels. In tuinen achter huizen. In een zon die warmte geeft. Ze voordragen zoals je ze ooit hebt bedoeld.

De brievenbus klapt. Ik hoor post op de mat vallen. Reclamefolders. Enveloppen van instanties, de bank, belastingdienst. Aanslagen die voor je het weet omslaan in boetes, per week oplopend. Dingen die ik nu zelf moet zien te regelen. Het wordt een reis van korte duur als er geen geld is voor benzine en overnachtingen.

Ik draai me om. Mijn hart ploegt als ik met kleverige handen de enveloppen opraap, ze op de stapel leg in de meterkast. Vlekken op de vloer, de muur, de deurknop. Bijna onzichtbare vingerafdrukken op voorwerpen die ook Pepe dagelijks aanraakte.

Je copla's voordragen, Pepe. Kan dat nog na alles wat je me hebt verteld?

~

Het was een vlucht voor de dood, het reizen van mijn ouders en mijn tante Soledad. Van de nood een deugd makend als theatergezelschap, en overal werd thuis. Als we in een theater sliepen, schoof mijn moeder achter het podium stoelen tegen elkaar. Ik hoorde het spel en het applaus, drukte mijn pop tegen mijn oor en sliep gewoon verder. Maar als ik meisjes van mijn leeftijd zag werd ik toch weer stil. Ik wilde naar ze toe, meedoen met het gelach en gekrijs, met de poppenbenen onder hun jurken die touwtjesprongen of wegkropen en verstoppertje speelden.

Mijn vader trok me weg bij het raam. Zijn hand werd een hertje met twee opstaande oortjes. Zijn vingertoppen snuffelden nieuwsgierig langs mijn wangen, hapten naar mijn tranen. 'Alleen bij jou smaken ze naar frambozen, cariño.' Het snuitje kriebelde in mijn nek, beet in mijn oor. 'Kom, jij hebt wel wat beters te doen dan spelen met die schreeuwlelijkerds op straat.' Toen bond hij de rol toneellakens op mijn rug, mijn pop onder de draagband, en trok me mee de straat op waar de zon als een dikke bij om mijn hoofd zoemde.

Mijn vader had gelijk. Ik had wel iets beters te doen dan die meisjes. Ik kon mijn kin laten trillen, met schokjes ademen, slikken en snikken voor ik me afwendde met hangende schouders en de zogenaamde tranen wegveegde alsof ik huilde. Op het podium kreeg ik applaus, en van mijn vader kreeg ik mijn zin.

Maar na een volgend optreden greep de hand van mijn moeder mijn haar. Ze gaf een felle ruk aan mijn krullen zodat er echte tranen in mijn ogen sprongen. Haar stem blies in mijn oor. 'Huilen moet je niet spelen, Juani, huilen moet je voelen!' Toen veegde ze mijn ogen droog met haar omslagdoek. 'Kom.' Ze zei dat ze een verrassing voor me had en nam me mee naar de koffer met schmink. Daar trok ze lijntjes om mijn ogen met verbrande kurk, en kleurde mijn lippen en wangen met bietenboter. Van haar maandlapjes rolde ze twee ballen die ze onder mijn jurk stopte. 'Voortaan ben je groot, cariño.'

'Ja, voortaan ben je groot,' zeiden Lola en mijn tante Soledad terwijl ze lachend in mijn lappentietjes knepen.

Mijn moeder duwde me het podium op. Ze had me nodig. Ik moest stemmen nadoen van volwassenen, rollen spelen in perfect gesproken Spaans. Een Catalaans accent was een schande, dan ging er geroezemoes door het publiek. Er mocht geen onzekerheid ontstaan bij de toeschouwers over het spel of de acteurs.

Ik kreeg geen klappen als ik een fout maakte, geen uitbrander zoals de andere artiesten die dan rood werden van schaamte, maar haar hand leek in een razendsnelle beweging het haar van mijn hoofd te scheuren. Pijn was de beste leermeester, en tranen waren alleen toegestaan op het toneel. Hier in de dorpen maakten we de mensen aan het lachen en huilen met sainettes, korte komische stukjes als *De gekke slager* of *De wraak van de schoonmoeder*. Later, toen mijn moeder meerdere acteurs aannam, speelden we grotere stukken: *Bodas de sangre* van García Lorca of *Carmiña*, het verhaal van een kantklosmeisje in Galicië, waar zelfs de meest geharde boeren vochtige ogen van kregen.

Al die tijd meed ik de jas van mijn vader, en hoe hij voelde tussen mijn vingers, de brug met gouden tanden, toen ik die uit mijn jaszak had gehaald en ongemerkt in zijn binnenzak had laten glijden.

Ik ben nooit naar school geweest. Mijn vader kocht oude boeken op de markt en leerde me wat een kind volgens hem behoorde te weten. Zelfs met hem alleen in de stal waar we die nacht sliepen, droeg hij zijn colbertjas met pochet, alsof hij bij vergissing op deze plek was beland. Hij had de decorlakens over het stro uitgespreid.

'Kom eens hier, Juani, en kijk me aan.'

Ik kroop naar hem toe over de vlammen van de hel.

'Wanneer is honderd procent goed?'

'Als je iets doet.'

'En wanneer niet?'

'Als je ergens in gelooft.'

'Wat gebeurt er als iedereen voor honderd procent in iets gelooft?' Mijn vaders gezicht kwam dichtbij, zijn ogen keken me strak aan, maar ik rolde op mijn buik. Misschien was het waar dat mijn vader een beetje vreemd was geworden door altijd op de vlucht te zijn, wat Lola beweerde.

'Dan komt er oorlog.' Ik krabde aan de rood-gele verflagen op het laken. De hel werd maar weinig gebruikt.

'Altijd?'

'Nee.' Het vagevuur kleurde mijn vingers rood. 'Als anders denken niet wordt toegestaan.'

'Maar wat is echt belangrijk?'

'Mijn hart.'

'En wie ben jij, Juanita?' De ernst verdween. Zijn stem werd lichter.

'Uw cariño.'

Heel even raakten zijn vingertoppen mijn wang aan. De geur van zijn haarwater. 'Je hebt de stem, mijn kind. Je bent de parel aan mijn kroon.'

Toen werd hij stil, stak een sigaar op en liet zich achterover zakken in het stro. Zijn ogen zochten het dak van de schuur, leken een opening te vinden tussen de kromgetrokken balken waardoor zijn gedachten de stal konden verlaten, afstanden overbruggen, tijd.

Dacht hij terug aan zijn ouders en zussen, zijn neef Fernando die ik kende van het portretje in mijn vaders dichtbundel? Een jongen, knielend op een bidbankje vol houtsnijwerk, een witte sjerp om zijn borst, een rond gezicht, onscherp maar met een duidelijke mond. Er zat nog een foto tussen de vlekkerige bladen: papa met Fernando in het leger van de republikeinen vlak voor ze werden opgepakt door Franco's soldaten en verbannen naar een concentratiekamp in Marokko.

Mijn oom Fernando stond naast mijn vader toen een van de bewakers hem van achteren benaderde en met een haal van het Moorse mes zijn hals doorsneed.

Ik pakte mijn vaders hand die nat leek van tranen en stelde me voor hoe het was gegaan. Hoe hij het hoofd van zijn neef had zien wegrollen en de romp zag neerzakken in het zand.

Mijn vader mocht geen emoties tonen toen, niet huilen of schreeuwen. Ook al was Fernando zijn beste vriend en het enige familielid dat hem niet in de steek had gelaten toen hij koos voor mijn moeder, een zestien jaar oudere actrice met een kind.

Ik heb geen idee hoeveel kameraden mijn vader in de loopgraven heeft leren schrijven. Ook weet ik niet hoeveel vijanden hij heeft gedood of hoe hij uit het kamp is ontsnapt. Maar mijn vader kwam terug en de oorlog bleef voor altijd. Niet alleen door zijn communistische ideeën of zijn vlucht voor guardia's en verraders. De oorlog bleef door gedachten die werden meegedragen in het hoofd en het hart, zoals mijn vader in al zijn broek- en jaszakken verboden poëziebundels en spotprenten verborg, en mijn moeder Catalaanse toneelstukken meezeulde in haar kartonnen koffer.

10

Als ik het mes in de pata negra zet, snijd ik in mijn vingers. Met een theedoek om mijn hand hang ik de ham terug in de kelderkast. In de keukenla vind ik een pleister met de afbeelding van een molen. Ik hap de plasticjes eraf en spuug ze in de gootsteen. Maar de pleister is te klein, het bloed stroomt snel en als de plakstrips niet aan mijn huid maar aan elkaar plakken, smijt ik die ook in de gootsteen. Met de theedoek strak om mijn vinger gewikkeld loop ik naar de kamer en ga op de bank liggen. Door het raam staar ik naar de lucht. Meeuwen, kraaien en nog hoger misschien de gierzwaluw. Een vorkstaart die bij hoge snelheden tot een punt kan worden gedraaid, leerde ik van mijn vader.

Waar ben je nou? Dat zou de vogel aan Pepe kunnen vragen nu hij zich misschien daar boven het dak van ons huis in al dat blauw bevindt. Ik heb je nodig. Waar ben je nou?

De volgende dag haal ik een pochet van mijn vader uit de la van de linnenkast. Ik neem de kruik van de schoorsteenmantel en schud iets van Pepes as in de lap. Met een lint maak ik er een buideltje van voor in mijn tas. Dan ga ik naar de dokter die vraagt hoe het met me gaat. Hij bedoelt niet de snee in mijn vinger die klopt en schrijnt, hij bedoelt hoe het gaat met de weduwe die ik blijk te zijn.

Ik vertel hem van de ongeopende enveloppen in de meterkast, het bed dat ik niet verschoon en de pijn in mijn borst. Ik bedoel niet alleen het gemis na een leven lang samen, maar ook het knagende verlangen om te gaan. Weg uit dit land waar ik al langer woon dan ooit in mijn vaderland.

De dokter heeft mooie handen die voor hem op het bureau rusten, vriendelijke kootjes. Hij noemt het niet onbegrijpelijk, dat verlangen. Hij zegt dat het overlijden van een gezinslid een schok teweegbrengt die alles in een ander licht zet. 'U moet nog leren ermee om te gaan, mevrouw Castro.' Hij schrijft een recept voor, een zalfje voor de snee in mijn vinger, pillen om te slapen die ik niet nodig heb. Geeft me een warme hand. 'Veel sterkte, mevrouw. En doe vooral geen dingen waar u spijt van krijgt.'

Ik stop de recepten naast het buideltje in mijn tas en glimlach terug. Dan steek ik zonder uit te kijken de straat over, start de Toyota en verlang er opeens hevig naar om gas te geven, een bord in de tuin te zetten, die klotesalamander achter de vijg in puin te hakken of andere rigoureuze dingen te doen waar ik achteraf verdomd veel spijt van zal krijgen.

～

Zijn volgende copla ging over zijn vader.

Het was zijn moeder die Pepe sloeg. Haar ogen zagen niet hem, maar de dorpsbewoners die hun hoofd wegdraaiden, de deur van de school die voor haar kinderen gesloten bleef. De hak van haar schoen sneed in zijn wang en de slag explodeerde achter zijn oor. Even was alles glazig rood. Toen krabbelde hij overeind. Het lukte hem om de volgende slag te ontwijken en in een flits zag hij dat Fina naar het raampje naast het fornuis wees. Het stond open en nog voor de anderen het doorhadden, sprong hij opzij. Hij slingerde zijn benen door het kozijn en liet zich in het gras zakken. Gebukt rende hij door de boomgaard.

Achter zich hoorde hij zijn broers lachen om zijn moeder, haar klappen die geen effect meer leken te hebben, en opeens had Pepe spijt van zijn vlucht. Mooie held was hij.

Hij bleef staan, keek om, hijgend. Kraaien vlogen op, onnodig kabaal makend. Het kozijn was veel te hoog van buitenaf, ook als hij sprong. Wegwezen moest hij, voor de buurman hem hier te grazen nam. Hij rende het veld over, zigzagde tussen de appelbomen door naar de sloot die overwoekerd was door brandnetels. Hij nam een aanloop en landde net aan de andere kant van de brandnetelhaag. Er stak iets hard in zijn voet, maar hij hield pas in bij de stal van gekke Luis. Zijn hak stond in de fik, erger dan zijn kop. Hij strompelde verder, probeerde niet te kermen. Als je jankte was je een griet, beweerde Manolo, en als je copla's bedacht was je een flikker.

Het huis naast de stal was klein. Muren van hazelnootstokken en koeienstront met witkalk gepleisterd. De kar stond buiten, vol hooi dat de zolder op moest. Er kon regen komen. Ergens klonk gerinkel van een ketting. Hij moest het erf nog over voor de hond aansloeg.

Pepe bleef staan bij de stal. De klimrozen hingen dor langs het steen. Aan deze kant van het veld geen zuchtje wind. Krekels. Bloedmuggen. Geritsel in de struiken naast hem. Een dak van skeletblad met de hond in zijn schaduw. Een bruin en een geel oog volgden zijn bewegingen, een hijgende bek. Hij en dit dier hadden dezelfde honger.

Pepe veegde het zweet van zijn gezicht. Er liep bloed langs zijn arm. De splinter leek wel door te steken tot in zijn knie. Hij leunde tegen de muur en peuterde aan de wond. Het ding moest eruit als hij nog een stap wilde zetten.

Een zacht gegrom. De hond kroop onder de struiken vandaan. Een volle vacht. Waar was de schurft? Vanuit zijn ooghoeken hield Pepe het beest in de gaten. Hij had een stok nodig om mee te slaan als het mormel naar zijn benen dook, stenen om te gooien.

De splinter, het lukte niet. Het zweet liep langs zijn rug. Pepe ging zitten, legde zijn voet dwars op zijn knie en wreef zand in de wond om het bloeden te stoppen. Met beide duimen drukte hij aan weerszijden van de harde punt. Een ijzernagel met een vierkante kop. Met een schreeuw rukte hij de spijker uit het vlees. De tranen liepen over zijn wangen. Hij liet zijn hoofd hangen, staarde naar de grond.

Je vader in het rulle zand.
Je vinger tekent zijn gezicht
met golvend haar en diepe ogen,
die zwart en warm zijn als het land.

Het is de vader met jouw blik.
En jij zou ongelukkig zijn?

De wind, 's avonds. Een koele hand
strijkt langs zijn ogen, streelt zijn haar,
veegt weg. Toch blijft je vader hier.
Onzichtbaar ligt hij in het zand.

En jij zou ongelukkig zijn?

De hond stond ineens naast hem, voorpoten tegen zijn zij, een tong raspte langs zijn wang.

Wat doet een dier dat je bloed proeft? Hij duwde het van zich af. Het beest sprong weg, maar kwam terug en begon aan zijn voet. Speels. Een warme lap. Als je jankte en lachte tegelijk, wat was je dan?

Er viel een schaduw over hem heen. Een monster voor de

zon, romp op kromme poten. De kop zwiepte opzij, klapte terug tussen de schouders en stootte geluiden uit.

Gekke Luis. Klappen zouden er komen, erger dan die van zijn moeder. Een razernij waar iedereen bang voor was. De jongens die hem treiterden, de vrouwen die hun kinderen waarschuwden om uit zijn buurt te blijven.

De dorpsgek greep Pepe bij de schouder en trok hem overeind. Zijn mond liet de binnenkant van zijn lippen zien. Druipsteen. Klanken uit de diepte. Klauwen die scheef op de polsen waren gezet. Ze schoven onder Pepes oksels, ondersteunden hem het erf over naar het huis. Wat wilde de gek?

Het huis bestond uit één kamer. Een tafel, krukken, een olielamp voor als de stroom uitviel, zoals in alle huizen van het dorp. Een gemetseld fornuis, hout ernaast. Een geur drong zijn neus binnen, herinnerde hem aan het brood dat hij had gepikt, zijn spijt, het opbiechten en de klappen die hij had gekregen. Hier zou hij het niet in zijn hoofd halen om iets te stelen.

Gekke Luis zette hem op een kruk. Stameltaal. Zijn hoeven ploften door de halfduistere ruimte. Pepes voet werd op een omgekeerde emmer gelegd, een natte lap om de wond gewikkeld. Toen reikte de man hem de pollepel met water aan, legde een houten plank op tafel met een maïspannenkoek.

Pepe slokte het water naar binnen, veegde zijn handen af aan zijn broek en greep naar de koek. Eten, zoveel als hij kon. Hier zou Santiago hem toch nooit zoeken. Met zijn tanden scheurde Pepe het deeg aan flarden en kreeg een tweede aangereikt, een derde. De molensteen in zijn oor bleef malen, maar de pijn in zijn voet nam af en hij durfde wat meer om zich heen te kijken. Het daglicht viel door gaten in het dak. Hij ontdekte een broedende kip onder een bankje, kastanjes en hazelnoten lagen verspreid over de vloer te drogen en aan de muur hing een zakhorloge, het glas gebarsten. Buiten klonk het geblaf van meerdere honden, stemmen ver weg.

Pepe zuchtte. Zijn buik stond op knappen. Hij had wel willen gaan liggen op de stapel zakken in de hoek naast de kachel, zijn beurse kop rust geven, maar hij moest op zijn hoede blijven. Niemand wist waar hij uithing, zelfs Fina niet.

Gekke Luis nam tegenover hem plaats. Zijn klauwen schuurden over het ruwe tafelblad, grepen naar niets. Toen zoog zijn mond de lippen naar binnen. De klanken kwamen onverwacht, een stamelende melodie, woorden die elk mens kan verstaan, een wiegend bovenlijf. Een lied over een man die niet gek was, alleen zijn spieren niet kon laten luisteren.

Pepe zette zijn ellebogen op tafel. Zijn kin steunde op zijn handen terwijl hij luisterde. De honger was weg, de dorst, de pijn bijna. Hoe noemde je een gek die zong, een zot van wie het hele dorp beweerde dat hij nooit een woord gesproken had?

Zijn moeder sliep. De peertjeslamp die door een gat in het plafond naar de kamer op de bovenverdieping kon worden getrokken, scheen zwak. Gratis stroom voor alle huizen in het dorp dankzij el Caudillo. Een bonnenboekje. Pepe zakte op zijn knieën naast het matras en keek naar haar gezicht, de fijne rimpels die droeve plooien werden als ze moe was. Bij haar liggen wilde hij, zijn rug tegen haar buik drukken, haar arm om zich heen. Haar beschermen voor de mannen in het dorp die op haar loerden, opmerkingen maakten al zei ze duizend keer dat ze weduwe was. Zijn moeder zou hem uit bed trappen als hij bij haar kroop en schelden dat hij haar alleen verdriet bezorgde, schande.

Pepe blies de haren los van haar huid en luisterde naar haar ademhaling, het zachte gereutel in haar borstkas. De stilte buiten viel hem op en hij stelde zich voor dat hij een nieuwe vader zou krijgen. Een man die zijn moeder wilde met al haar kinderen erbij, zodat er niets meer was waar ze zich voor hoefde te schamen.

II

Pepe kwam lucht tekort, die avond in het ziekenhuis, hij sprak zonder adem te verspillen en leek na elke zin te moeten bijkomen.

'Luis... we dachten dat hij gek was met zijn klompvoeten, de spastische bewegingen en zijn spraakgebrek.' Pepe zakte tegen het kussen. 'Tegenwoordig zou hij hulp hebben gekregen, speciale schoenen, een oplossing voor het praten.'

Zijn verhaal werd onderbroken door twee verpleegkundigen die de gordijnen rond zijn bed dichtschoven. Een apparaat met slangen. Ze vroegen me op de gang te wachten en ik kreeg de neiging om mijn handen tegen mijn oren te drukken toen ik toch het zoemen en slurpen hoorde. De verpleegster die Pepe kalmerend toesprak, een stem alsof hij doof was, ook dat nog. 'Als u zich ontspant, zal het minder pijnlijk zijn, meneer Castro.'

Flikker op, zeggen ze hier in Nederland. Een ram voor je harses als je niet oprot. Pepe ging niet dood aan de kanker die zijn longen opvrat, hij ging dood door twee verpleegkundigen die de slang van een slijmzuiger in zijn keel propten en niet in de gaten hadden hoe hij langzaam stikte. Zijn eigen vrouw op de gang gezet, kalm van buiten, dat wel, een actrice, wat dacht je, maar radeloos van binnen. De mond gesnoerd na alles wat haar was verteld en alles wat ze zelf had moeten vertellen.

Het duurde even voor Pepe zijn stem hervond toen ik weer naast hem mocht zitten, maar hij leek vrijer te kunnen ademhalen, verontschuldigde zich omdat hij in zijn bed had geplast. De verpleger hielp hem in een stoel. Zijn lakens werden verschoond, zijn pyjama, onderbroek. Terug in bed keek hij me aan met tranende ogen, schraapte zijn keel en vroeg waar hij was gebleven.

'Gekke Luis.' Hij lachte zonder benauwd te worden. 'Ik vond hem mooi terwijl iedereen bang voor hem was. Niemand zou dat begrijpen. Ook jij niet, Juanita. Je zou alleen maar hebben gelachen.'

Toen werd hij ernstig. Hij streek met een bevende vinger langs mijn lippen. 'Ik was niet de enige die zweeg over mijn verleden. Onze hele generatie. Zelfs hier werden we nog in de gaten gehouden.'

Ik nam zijn hand in de mijne, blies over de broze huid waar af en toe zonder aanleiding bloeddruppels uit liepen.

Het was waar wat Pepe beweerde, die avond in het ziekenhuis. Zelfs in Nederland hielden ze ons in de gaten: de ambassade, het consulaat, priesters die voor het regime werkten, de Spaanse staatsvakbond.

Toch was het niet alleen de tijd die iets met ons deed zoals de droogte met een land of de wind met een spinnenweb. Het was ook de schaamte. Als kind word je deelnemer, of je wilt of niet – held of verrader en altijd medeplichtig.

～

In het bergdorp had Pepe op blote voeten gelopen tot de eerste nachtvorst het gras liet kraken. Toen kwam de winter met een sneeuwdeken van vijf emmers hoog, en zag hij de man met het geweer die als een kadaver werd weggedragen door vier mannen van de Guardia Civil. Onmiddellijk herkende Pepe de ingevallen wangen en kale plekken tussen het haar. Als verstomd bleef hij toekijken, zag de diepe inkeping in de hals waardoor het hoofd ver achterover hing, het klonterige zwart waarvan hij pas later begreep dat het bloed was. Pepe verstarde. Was het zijn schuld dat ze de man hadden gevonden? Had er iemand meegeluisterd toen hij Fina had verteld dat de man bijna dagelijks een koe molk? Hij vergat het hout naast het fornuis dat aangevuld moest worden en rende naar het huis van gekke Luis.

Zijn vriend ging op zijn hurken zitten en liet Pepe meewiegen op zijn eigen schokkende bewegingen tot hij niet meer huilde. Toen zong Luis zijn vermoeden uit over de vermoorde man: het kon nooit de schuld zijn van Pepe. De man moest naar het dorp zijn gekomen, door de strenge winter verjaagd uit zijn schuilplaats in de bergen. Was hij langs de huizen gegaan? Had hij om eten gevraagd bij een verrader?

Luis liet Pepe op het warme blad boven de houtkachel zitten. Hij haalde het zakhorloge van de muur, stopte het in Pepes hand en knikte: het was voor hem, voor zijn kleine vriend. Hij mocht het houden en Pepe gloeide opeens van blijdschap. Luis bakte maïspannenkoeken, gaf hem te eten tot de warmte hem slaperig maakte, maar Pepe kon het beeld van de dode man maar moeilijk vergeten. Wat zouden de guardia's doen als ze wisten dat zijn tante nog leefde? Of al die andere vrouwen in het dorp die door de soldaten van el Caudillo waren gedwongen om op blote voeten over de onverharde bergweg te lopen? Naar boven en terug, steeds opnieuw, tot er onder hun voetzolen geen huid meer over was. Wonderolie kregen ze te drinken, zodat hun lichaam leegliep. Haren werden afgeknipt, lijven ontbloot omdat ze na al die martelingen nog steeds weigerden te vertellen waar in de wirwar van de grotten hun mannen zich verborgen hielden. Toen hadden de soldaten de loop van hun geweer in zijn tantes lijf gestoken waardoor het kindje in haar buik was stukgegaan, ze hadden met messen haar borsten en wangen gekerfd. En al was het Manolo geweest die het verhaal opdiste als een eng sprookje voor het slapen gaan, Pepe wist vanaf dat moment dat zijn tante niet de enige in het dorp was die zich opsloot en voor dood hield. De volgende dag had hij een witte aronskelk geplukt en het pas geopende bloemblad op haar drempel gelegd, maar diezelfde avond lag de bloem er nog.

Luis zong en Pepe tuurde in het halfduister naar zijn gezicht. De stem van zijn vriend danste, zijn handen volgden als lichte schaduwen. Dat zouden de buurjongens moeten zien, de mensen in het dorp die hem liever zagen vertrekken. Het deed Pepe aan zijn moeder denken, die gedichten voordroeg als de andere mensen naar de kerk gingen. Oude verzen die ze geleerd had van haar vader.

Zou Luis een vader kunnen zijn, een man voor zijn moeder?

Hij kreeg traanogen door de rook uit het fornuis. Zijn moeder zou naar gekke Luis spugen van afschuw. Het hele dorp zou hen uitlachen. Hij drukte het zakhorloge tegen zijn volle buik. Een stem in het halfduister, een lied dat hem trots maakte.

Ik trok door de bergen
in mei, toen de zomer begon.
Er stond een koel briesje
en mild was het licht van de zon.

Die dag zag ik schapen,
een kudde kwam mij tegemoet.
De herder: een kind nog,
in lompen, zijn haar zwart als roet.

Een lam dwaalde af.
Ik hoorde hoe krachtig hij floot.
Wij groetten elkaar.
Hij gaf mij een stuk van zijn brood.

Ik stelde hem vragen:
'Hoe oud ben je?' 'Dertien, meneer.'
'Waar wonen je ouders?'
'Ze leven niet meer.'

De zon in zijn ogen,
de wind in zijn koolzwarte haar.
'En wat is je loon?'
'Vijf stuiver, meneer.'
'Per week?' 'Nee, meneer.'
'Per maand?' 'Nee, meneer,
mijn loon is vijf stuiver per jaar.'

Hij floot naar zijn kudde,
nam afscheid van mij
en trok zingend verder,
gestreeld door de zon en de wind.

Omstuwd door zijn schapen
als levende wolken
besteeg hij een helling,
en alles: het gras en de bloemen,
de bergen en dalen –
het was van die jongen,
dat zwartharig kind.

12

'Ik dacht, ik bel maar weer eens.'

'Ja, en?'

'Nou, over die auto. Het bod dat ik heb gedaan op dat karretje van u.'

'Ik zou toch bellen.'

'U kon het vergeten zijn.' Het fluitje tussen zijn tanden. 'Ik doe het zuiver en alleen voor u. Ik weet hoe het is, zo kort na de dood van uw echtgenoot.'

'Ik denk dat ik het niet doe.'

'Het is een prachtbod, neem dat maar van me aan. Ik ken uw man zaliger niet, maar hij zou het zeker overwegen.'

'Geen idee. Misschien.' Ik grijns. Pepe zou dat moeten horen, dat zaliger.

'Ik weet het wel zeker.' Weer dat gefluit. 'Mijn vrouw zaliger kon ook zo besluiteloos zijn. Dan moest ik haar echt bijsturen.'

'En nu wilt u mij bijsturen?' Ik moet lachen.

'Nee, nee. Zo moet u dat niet opvatten. Ik sta aan uw kant, en als ik dat zeg, dan meen ik dat ook.' Hij gromt, een mensaap met wijfjes. 'Maar mijn vrouw was me er dankbaar voor, dat kan ik u wel zeggen.'

'Het moet moeilijk voor u zijn om haar te missen.' Ik klink oprecht. Jankt-ie nu? Ik denk geluiden te horen die daarop wijzen. Getverdemme. Waar een beetje begrip al niet toe kan leiden.

'Ik neem nog geen besluit over de auto,' zeg ik snel. 'Maar als ik de auto kwijt wil, bent u de eerste die ik bel, dat verzeker ik u.'

Hij slikt hoorbaar. 'Dat zou mooi zijn.' Een schorre stem.

'Kerel toch,' zeg ik als tegen een klein kind.

~

Ik bleef me eenzaam voelen als ik meisjes zag met wie ik niet mocht spelen, maar ik huilde niet meer. Ik vouwde mijn handen en zong met het grootste gemak de moeilijkste liederen.

'Voortaan ga jij zingen,' zei mijn moeder, toen ik alle liederen uit de voorstelling moeiteloos nazong.

'Ja, voortaan ga jij zingen,' zeiden mijn tante Soledad en Lola haar na.

Ik ging rechtop staan, schoof mijn lappenbollen op hun plaats en gehoorzaamde. Eerst nog achter de coulissen. Een rol spelen was niet moeilijk, maar om mijn stem zo duidelijk te laten horen vond ik eng. Op aanwijzing van mijn moeder stond Lola in haar mooiste jurk op het toneel en bewoog haar mond alsof ze zelf zong. De mensen in de zaal hadden niets in de gaten en droomden weg bij een stem die in niets op die van een meisje leek. Het applaus was lang en na verloop van tijd durfde ook ik op de planken te staan, begeleidde mezelf met castagnetten en maakte bescheiden danspasjes.

Op de bergweides zong Pepe voor koeien, bomen en vogels. 'De distelvink' of 'Vijf stuiver'. Ik zong voor dorpskinderen, ouders, schooljuffrouwen en een man die op zijn knieën zakte.

Na afloop kwam er een meisje van mijn leeftijd naar ons toe. Visi heette ze. Visi Reyes Ruiz. En haar vraag, netjes geformuleerd, had net zo goed een bevel kunnen zijn. Of ik met haar mee mocht naar de school in het dorp, een dagje maar.

Misschien was het de naam van de school – La escuela pública Santa Florentina; een school voor arme meisjes – die de doorslag gaf. Feit was dat mijn moeder zich liet overbluffen, en mijn vader glimlachte. Ik joelde en jankte van blijdschap, en Lola, die voor de oorlog altijd naar school had gemogen, tilde me op alsof ik een kleuter was.

'Nu komt het toch nog goed met jou, niña.'

Ik kreeg een schooluniform te leen, een zwarte overgooier met een wit kraagje. Voor aanvang van de lessen moesten we met geheven hand een strijdlied zingen ter ere van Primo de Rivera, de leider van de falangisten die tijdens de oorlog was geexecuteerd. Mijn vriendinnetje trok er gekke bekken bij en ik wist dat ook mijn vader het lied haatte, maar ik mocht niet opvallen en zong met gestrekte arm mee.

De lessen waren niet moeilijk en doña Rocío was aardig, maar er was een leraar uit de stad voor wie Visi me waarschuwde. 'Hij neemt je apart, Juanita, en doet heel aardig.' Ze stampte antwoorden in mijn hoofd, gaf instructies voor vragen die je het gevoel gaven dat je alles kon zeggen: 'Onze leider is niet altijd even aardig? Wat vindt je vader daarvan, je moeder, en jij?' Visi rolde met haar ogen. 'Doe maar net of je dom bent, dat doe ik ook.'

Ze had gelijk zoals ook mijn spiegelzusje altijd gelijk had. De man was een acteur, een verdomd goede toneelspeler die zich voordeed alsof hij bevriend was van mijn ouders. Maar ik was beter, greep met beide handen in mijn haar. Ik rukte zoals mijn moeder had gedaan. Onnozelheid moet je niet spelen, Juani, je moet onnozel zijn! Met betraande ogen staarde ik naar zijn vals-vriendelijke ogen en zong vol overgave het idiote strijdlied waar hij met ontroering naar luisterde, 'Cara al sol'... Halverwege stopte ik en wees naar de vloer. 'Kijk, kakkerlakken.' Ik trapte ze kapot, de beestjes die in mijn verbeelding over de planken kropen, en juichte alsof ik een gevecht had gewonnen. Toen strekte ik opnieuw mijn hand en zong met een doodernstig gezicht de laatste regel van het lied.

Hij gaf het op, de agent van el Caudillo. Van een halfgaar kind dat kon zingen als een operazangeres werd hij geen steek wijzer.

Het kwam niet meer goed met mij op een school, zoals Lola had gehoopt. Maar ik redde mijn familie, dat dacht ik tenminste. En liegen was doodgemakkelijk.

Mijn tante Soledad had het schooluniform gewassen en in de zon gedroogd, maar het kreukte toch toen Visi haar armen om me heen sloeg voor we vertrokken. Ik voelde haar warme buik tegen de mijne, een meisje van mijn eigen leeftijd, met ogen als gebrande suiker. We waren allebei kakkerlakken, dochters van rooien, maar dat vertelden we niemand.

13

Pepes negende verjaardag.

De bomen drupten toen hij met de koeien naar boven liep. Een zware geur van mos en paddenstoelen. Hij hoestte bloedspetters in het gras. Speeksel plakte aan zijn wang en hij moest even gaan zitten, de grond voelen, de koeien haalde hij wel in als alles weer recht stond in zijn kop.

Toen Fina later op de dag twee perziken kwam brengen, zag hij dat ze schrok. Pepe liet het toe, haar handen die over zijn rug wreven om hem op te warmen. Hij viel om toen ze hem losliet. Zijn zus trok zijn kop achterover en dwong hem de stukken vruchtvlees te eten die ze met haar mes afsneed, maar Pepe braakte alles weer uit. Toen maakte ze onder het struikgewas een hol waarin hij kon liggen, rukte takken met blad af die hem beschermden tegen de kou. Er zat niets anders op dan te wachten tot de avond, als de koeien terug mochten naar het dorp. Zijn moeder zou een oplossing bedenken, harig wijvenblad plukken achter de oude stalmuur om daarmee over zijn borst te wrijven. Het stonk naar alles wat ze daar achterlieten, maar dan was hij er wel snel vanaf.

Het was laat toen zijn moeder thuiskwam. Heerlijk was het, haar koele vingertoppen die zijn keel betastten, haar handpalm tegen zijn voorhoofd. Pepe hoestte bloed op alsof zijn binnenste was gevuld met rijpe kersen. Zijn moeder droeg hem de trap op, legde hem op haar eigen matras, trok haar vest los en veegde zijn gezicht af met haar hemd. Ze fluisterde met de groten, Manolo en Pablo, die ineens veel groter leken, en Pepe hoorde haar voor het eerst met een ingehouden stem schelden op de man die hen verlaten had. Pepes lijf leek te rillen van de kou, maar hij vond het niet erg, hij liep langs een rotsrichel en zong. Hij had geen gewicht meer. Hij was Santiago en zette een hand aan bij een coplaverkoper, maakte van hoeven voeten. De hond van gekke Luis huppelde op hem af, sprong tegen hem op en likte het bloed van zijn mond, sprak tegen hem met de stem van Fina. Het was Fina. Ze drukte het natte hemd tegen zijn lippen en zei dat ze op hem moest passen. Moeder was liever bij hem gebleven, maar als zij de boeren niet hielp, kregen ze geen eten. 'Je gaat dood, Pepin, maar ik blijf bij je.' Toen vouwde ze de rode vlekken op het natte hemd naar binnen, veegde met het schone deel het zweet van zijn voorhoofd en neuriede alsof hij haar baby was.

Pepe wilde haar wegduwen, maar het machtige gevoel was weg. Hij kon zichzelf niet eens helpen, laat staan uit zijn bed stappen.

De boer kwam langs. Hij vroeg waar zijn knecht bleef, schopte zijn klompen uit en kwam de trap op om te kijken of Pepe zich niet aanstelde. Toen schudde hij nijdig zijn hoofd en mompelde wat over hulp en medicijnen. Maar Pepes moeder stuurde hem weg. De dokter uit Nava kwam de berg niet op voor een kind van een rooie, en voor medicijnen had ze geen geld.

Later meende Pepe een vreemde vrouw te zien die zich over hem heen boog.

'Hij is nu wakker,' hoorde hij zijn moeder zeggen. 'Je moet toch weten hoe mijn jongste eruit heeft gezien.'

Pepe probeerde zijn ogen open te houden. Een vage vlek in een donkere hoofddoek. Zijn moeder, maar dan ouder, littekens die als dikke wormen over de wangen kropen. Vingertoppen streken langs de zijkant van zijn gezicht alsof ze twijfelde of hij wel echt was.

'Tante? De man in de bergen, was hij...'

Er kwam geen geluid uit zijn mond, nog geen gefluister. Haar stem klonk als die van zijn moeder op kerstavonden. Licht en helder. Een antwoord op vragen die hij niet stelde en al helemaal niet begreep. Hij voelde haar handpalm tegen zijn gloeiende wang. Toen zakten zijn ogen dicht.

De zon kan neerslaan op je hoofd.
Je grijpt ernaar met beide handen
en wat je ziet is duisternis.
Het zwarte vuur zal jaren branden.

De maan kan door je dakraam vallen
en naast je kruipen in je bed.
Je wordt een mens van dampend ijs.
Traag is de lente die je redt.

Was hij al dood? Stofdraden aan de balken. Waterdruppels die langzaam opzwollen en langs de muur dropen. Pepe hoestte en het duurde een tijdje voordat de pijn wegtrok en hij zich weer durfde uit te strekken op het matras. Hij rook de pis in de emmer naast zijn bed. Doffe stemmen van beneden. De groten die hem meden, bang om besmet te raken. Manolo had nog snel het zakhorloge weggegrist, gemompeld dat hij er als oudste recht op had nu Pepe naar de mieren ging. Alleen Narciso zakte op zijn hurken naast het bed en vertelde over zijn werk bij de ciderboer. De manden vol appels, het wassen en persen, het gisten met spekvet en het vullen van de dikke groene flessen die werden verkocht aan kroegbazen van sidrería's. Zijn broer vouwde een stuk kaas uit gedroogde bladeren. Pepe werd gevoerd, brokken die hij nauwelijks weg kreeg. Hij was blij dat het droge spul in zijn maag bleef. Nu stonk hij niet alleen naar pis, maar leken er ook geiten en schapen op zijn brandende borst te grazen.

Fina stormde de trap op. Een vlecht van een week met woeste losse plukken.

'Gekke Luis wilde je zien. Gisteren stond hij opeens bij de deur en riep je naam.' Ze rilde en grinnikte tegelijk. 'Hij ging zelfs zingen, de engerd. Maar moeder heeft hem weggestuurd en Manolo en Pablo hebben stenen naar hem gegooid en gedreigd zijn hok in de fik te steken als hij het lef had om terug te komen. Naar de hel met die griezel.' Fina spuwde op de planken naast het bed alsof de man daar net nog stond.

Pepe sloeg met zijn armen. Scherpe punten in zijn keel. Een schor gefluister. 'Hij is niet gek...'

Maar Fina drukte hem terug op het bed, sprak met een hoog stemmetje alsof hij een pasgeboren kalf was: 'Je bent ziek, Pepin, je ijlt.' Ze griste het hemd weg en stoof de trap af. Hij hoorde haar water scheppen uit de emmer. Toen ze terugkwam, trok ze zijn kop naar voren en perste de pollepel tegen zijn lippen. 'Als jij dood bent, gaan wij hier weg, Pepin. Moeder heeft ander werk gevonden. Niet voor maiskolven, maar voor geld.' De rand van de lepel sneed in zijn tandvlees. 'Ze wordt een droge dienstmeid bij een rijk gezin in de stad.' Haar stem klonk schor. 'Manolo gaat naar de mijnen en Pablo gaat met Narciso mee naar de ciderboer. Gumer wordt een meid in Nava en ik...' Ineens liet ze hem los.

Pepe viel terug op het bed en de lepel kletterde op de planken. Fina sloeg haar handen voor haar gezicht. Toen schoot ze de trap af en hoorde hij haar klompen op het pad naar de weg. Pepe wilde overeind komen, weten wat ze bedoelde en waarom ze huilde. Fina huilde nooit. Maar hij was te slap om zelfs maar zijn hoofd op te tillen.

Toen hij opnieuw wakker werd, lag Pepe in een kar op jutezakken. Er vloeide een warmte door zijn lijf, niet zoals toen hij koorts had, maar een prettige warmte; de zon die een hand uitstak, hem optilde. Hij zag besneeuwde rotspunten, Picos de Europa, wolkenslierten. Ze gingen al weg uit het dorp terwijl hij nog leefde. Aan de assen van de wielen te horen was het de buurman die hen wegbracht. Het felle licht liet zijn ogen tranen. Hopelijk liep Santiago niet mee naast de kar. Pepe vond dat hij een slappeling was geworden, maar de knaagwonden in zijn borst leken te helen en ineens wist hij zeker dat zijn lijf niet naar de mieren ging zoals Manolo had beweerd. Hij kneep zijn ogen dicht, tilde zijn armen op naar het licht. Waarom had hij aan Santiago getwijfeld? De apostel zou hem nooit in de steek laten.

14

Er kwamen steeds mensen aan zijn bed in het ziekenhuis. Om gek van te worden. Er werd eten gebracht, bekers met pillen, infuuszakken werden verwisseld, lakens verschoond. Het bezoekuur bracht vrienden. Iemand kwam vertellen dat er zou worden gemusiceerd in de gezamenlijke zitruimte, alsof hij in staat zou zijn ernaartoe te gaan. Een bedrijf bood tegen betaling het gebruik van een televisie aan, wat Pepe weigerde, en de geestelijk verzorger begon een gesprek dat hij vriendelijk afkapte.

Drie dagen voor hij stierf, nam een arts Pepes dichtbundel van zijn kastje, bladerde erin; geïnteresseerd, een liefhebber net als hij. Zijn assistent haalde zijn schouders op, zei dat hij er nooit iets van begreep.

Pepe ging rechtop zitten. Zijn wangen gloeiden koortsig. 'Lees Hernández, jongeman. Of anders Machado of Lorca. Er zijn uitstekende vertalingen in het Nederlands. Bloemlezingen. Hoe die dichters hebben geleefd, hoe ze zijn gestorven.' Hij hief zijn handen en droeg voor.

In de wieg van de honger lag het kind gevoed met bloed van ui. Pepes stem schuurde van inspanning. Op het podium zou het de dramatiek versterken, maar hier wierp de assistent een verlangende blik op de deur.

'Laat mij het voortaan doen als je iets wilt voordragen. Je klinkt alsof jij zelf niets anders dan uien hebt gegeten.' Ik reikte water aan, liet het hoofdeinde van zijn bed zakken.

Uiteindelijk weigerde Pepe die dag de zuurstofkap waarvan zijn keel uitdroogde en de pijn in zijn borst alleen maar toenam. Ik probeerde een kussen achter zijn rug te schuiven en schrok. Wat was er over van de man in mijn armen?

Een zuster scheen met een lampje in zijn pupil, bevoelde zijn voorhoofd en nam zijn bloeddruk op. Even later kwam ze terug met pillen en water. Ze raadde me aan de nacht bij hem door te brengen. Ik kreeg een slaapstoel, maar Pepe leek niet van plan me te laten slapen.

'Ik dacht dat het copla's waren, Juanita, de verzen die ik bijna allemaal had onthouden. Maar de broeder in het klooster, waar ik later kwam te wonen, noemde het gedichten. Van hem leerde ik ze te herschrijven: alsof ik mezelf toesprak.'

'Misschien had je dat zonder hem ook wel gedaan.'

'Hij was een meester met woorden. Geen hoogdravend gebral of dat soort onzin.'

'Copla's zijn leuker.'

'Dat vind jij.'

'Ja, dat vind ik.'

'Assistent.'

'Ga slapen.'

'Je houdt niet meer van me.' Hij greep naar zijn keel, speelde zijn laatste adem na met wegdraaiende ogen, een schokkende borst, akelig echt stikkend, lachte toen hoestend.

∽

Ze brachten Pepe naar de stad, zijn moeder en Manolo, naar een huis met witte muren en een bank met zachte kussens. Er hing een lamp van glas en er zaten twee oude mensen bij de tafel van wie hij de namen meteen weer vergat.

'Deze mensen zullen een tijdje voor je zorgen, Pepin.' Even woelden zijn moeders vingers door zijn haren. 'Als je weer beter bent, kom ik je halen.'

Toch nog onverwacht drukte Manolo Pepe hard tegen zich aan, een klets in zijn nek. Maar zijn broer vertrok zonder het zakhorloge terug te geven. Santiago verscheen in de hoek van de kamer en liet een jongenskoor voor Pepe zingen tot hij wegdommelde tussen de zachte kussens.

Het was de man van het echtpaar die al die tijd voor hem zorgde. Een oude spreeuw met een warrige verenkop. Aan de tafel zat zijn vrouw. Ze luisterde naar de radio als ze niet in slaap sukkelde, en moest met alles door haar man geholpen worden. Toch was zij degene die besliste. Ze zei dat Pepes lijf weer sterk moest worden. Dat van haar wilde niet meer, maar dat van hem was nog jong. Ze schommelde op haar stoel. Met haar koppie was niets mis, dat zei ze ook: haar koppie, alsof ze het niet erg vond om als een vogel haar eten van het bord te pikken met getuite lippen. Pepe zou weer draven, dat beloofde ze, haar armen met de kromgegroeide handen naar hem uitstrekkend. Hij zou een man worden, de wereld ontdekken. Ze glimlachte, droeg voor uit Machado. *Caminante, no hay camino, se hace camino al andar...* Reiziger, er is geen pad. Een pad wordt gemaakt door te lopen. Toen dutte ze in.

Als zijn moeder hem vandaag zou komen halen, zou ze zien dat hij zonder hulp kon staan, een trui droeg, een ribbelbroek met knopen, dat zijn voeten waren gestoken in sokken en sandalen, zijn haar werd gekamd met een kam in plaats van natte vingers, dat hij uit een beker dronk in plaats van een lepel, brood at van een bord, en dat alles gewoon in zijn maag bleef.

Maar zijn moeder kwam hem niet halen.

Na overleg met zijn vrouw nam de oude man Pepe mee de stad in. 'Die jongen moet naar school voor hij praatjes krijgt.' Ze hadden erbij gelachen, hem in zijn nieuwe kleren om de tafel laten marcheren. 'Je bent ontsnapt, jongeman. Dat kunnen je er niet veel nazeggen.' Alhoewel Pepe niet helemaal begreep waaraan hij was ontsnapt, klonk het hem heldhaftig in de oren.

Het was er druk. Mensen waren er, te veel. Heren in kostuums, handelaren, vrouwen met wijde schorten en manden aan hun arm. Kinderen speelden in de zon en schreeuwden alsof Pepe de enige op de hele wereld was die zijn longen eruit had gehoest.

Later kwamen ze in rustiger lanen met brede stoepen en strak gesnoeide heggen. Alles leek er fris en schoon. Huizen als kathedralen. Vensters tot aan de dakrand. Pepe hoorde weer zangvogels en hij kon het niet nalaten om mee te fluiten. Hier moest de gravin wonen over wie de oude man had verteld. De rijke vrouw die Pepe wilde zien, of hij wel geschikt was voor een school.

Hijgend liet de man de zware klopper vallen. Gelapte jas, een ronding waar de rug ooit sterk en recht moest zijn geweest. Versleten schoenen. Pepe deed een stap opzij. Hij zag het nu pas. Maar zijn eigen nieuwe kleren, wie had die dan betaald?

Het duurde even. Toen opende een heer met bakkebaarden tot ver op zijn wangen de deur. Vanaf de drempel keek de knopenjas op hen neer, kuchte achter een handschoen en verdween om even later terug te komen.

Ze mochten volgen, een trap op, gangen door waarin lampen een geel licht verspreidden. Portretten in gouden lijsten. Lieden met rode konen tussen witte krullen. Kinderen die eruitzagen alsof ze nooit aan de speen van een koe hadden gezogen, laat staan de knaagtanden hadden gevoeld van een hongerige rat. Hun ogen volgden Pepe de gang door, keurden zijn kleren, en hij deed zijn uiterste best om rechte passen te zetten.

Aan het einde van de gang liet de heer met de knopen hen achter, en Pepe trok zijn hand los. Een overvloed aan licht kolkte over hem heen. Een zaal als een hemel. Gordijnstroken als ragfijne wolkenslierten. De vensters keken uit over de stad, toonden het bergmassief aan de horizon waar ergens zijn oude huis moest staan, een schuur naast dit kasteel. Kleuren waarin hij kon verdwalen. Langs de wanden staande klokken met gouden slingers. Beelden op sokkels, mannen en vrouwen met enkel een lap om hun heupen. Houdingen die hij na zou willen doen, verlegen of juist uitdagend.

Pepe ging op zijn tenen staan. Zijn armen en benen tintelden alsof alles hem herinnerde aan de wereld waar hij over fantaseerde tijdens dagen van wachten tussen koeien, gras en vogels. Een podium. Hij kon gaan zingen, dansen, copla's voordragen met weidse armgebaren. De zaal zou zich vullen met mensen die naar hem kwamen luisteren.

Hij zakte terug op zijn hakken. Een kind uit de bergen behoorde zich te gedragen, maar de woorden die losbarstten in zijn kop kon hij niet tegenhouden. De zaal was te mooi, de vrouw die op hen toe kwam lopen, naar hem keek alsof ze hem keurde, een glimlach om haar lippen. Ze werd zijn volgende copla, nee, geen copla, meer dan dat.

Ze kijkt. Een grote vrouw, een heilige
in blauw en wit, met sterren om haar hals
en vonken op haar schoenen van satijn.

De oude man had alles uitgelegd.
Zij heet gravin en zij doet wonderen

wanneer je zwijgt en nette kleren draagt.
De woorden uit de bergen, verstop ze in je keel.
Buig voor de vrouw en je bent rijk,
ze legt haar gouden munten in je hand
voor huis, school, een koffer nieuwe kleren.
Ze wist haar zonden af, de vrouw,
ze koopt haar plekje in de hemel,
geen prijs is haar te hoog. Dat zei de man.

Ze kijkt. Een grote vrouw, een heilige
in blauw en wit, met sterren om haar hals
en vonken op haar schoenen van satijn.

De oude man had alles uitgelegd.
Zij heet gravin en zij heeft slecht gedaan.
Je struikelde, viel bijna op de keien.
Er steeg een warmte naar je hoofd.
Een handvol munten voor een zonde?
Een plekje in de hemel voor wat goud?
Je mag nooit vragen stellen, zei de man,
en gaf drie tikken op je kin.
De vrouw, had zij gestolen of gedood?
Was zij met mannen door de nacht gegaan?

Ze kijkt. Een grote vrouw, een heilige
in blauw en wit, met sterren om haar hals
en vonken op haar schoenen van satijn.

Een zachte gongslag in de zaal.
Haar goud, je kunt het voor haar voeten smijten,
een andere heilige zorgt voor jou.
Behoedzaam kijk je schuin omhoog.

Ze heet gravin. Zo rijk en mooi,
dan steel je niet, dan dood je niet.
De warmte van een hand ligt op je schouder,
je voelt de kromme vingers van de man,
zo vaderlijk. De vrouw glimlacht.
Jij bent de jongen die is uitverkoren.

Ze kijkt. Een grote vrouw, een heilige
in blauw en wit, met sterren om haar hals
en vonken op haar schoenen van satijn.
Je vouwt je handen en je buigt.

Na het bezoek aan de gravin aten ze linzensoep in een kleine sidrería, Pepe en de oude man. De muren hingen er vol kranten-knipsels. Gezwollen letters onder foto's en tekeningen. Een vrouw met een rode bal op haar neus naast de foto van el Cau-dillo.

'Een feestdag, chico.' De man glunderde en Pepe lachte met volle mond. In de hemelzaal had de gravin goedkeurend ge-knikt en de oude man een envelop in de handen gedrukt. 'Dat mens heeft geld genoeg om een leven lang te zondigen,' had hij Pepe toegefluisterd toen ze weg was.

Pepe nam een hap kruimige bloedworst, een volle lepel. Zijn nieuwe schoen schopte tegen de tafelpoot. Droeg hij nu een broek met knopen omdat de gravin slechte dingen deed en niet van plan was daarmee te stoppen?

De barman sloeg de cider stuk in het glas, zijn ogen staar-den nietsziend voor zich uit. Zijn klanten dronken beurtelings en Pepes kop gloeide. Alles was nieuw wat er ging gebeuren. Binnenkort mocht hij naar school. Dan zou hij kunnen lezen wat er geschreven stond, geen woord op de muur overslaan en een held worden dankzij het geld van de gravin.

De oude man nam hem mee naar een park. Een veld met stroken bloemen, gras waar Pepe nauwelijks op durfde te lopen. Een klok zou mooi staan tussen de rechte boomstammen, meerdere klokken met gouden slingers.

De zon scheen en zijn moeder was daar. Al van een afstand zag Pepe haar staan. Ze droeg een witte jas en speelde met twee kinderen. Een bal werd heen en weer gegooid, geen varkensblaas maar een echte, rood, en met het grootste gemak stuiterend. Hij wilde naar ze toe rennen, maar de oude man greep zijn hand.

Toen ze dichterbij kwamen, duwde hij Pepe naar voren.

'Oliva, kijk, je zoon, hij is weer beter en de gravin heeft haar toestemming gegeven.'

Zijn moeder bleef staan. Haar armen vielen slap langs haar jas en de bal rolde weg van haar voeten. Ze deed twee passen in hun richting, knikte toen dat ze het begrepen had en zei dat ze weg moesten gaan. Ze mocht haar kinderen niet zien onder werktijd, en ze wapperde gehaast met haar handen. Pepe moest wachten. Ze zou langskomen als ze vrij kon krijgen van haar bazin. Ze wist alleen niet wanneer.

De vreemde jongen rende naar haar toe, duwde de bal tegen haar buik en het meisje trok ongeduldig aan haar jas.

Pepes lijf werd slap en zwaar. Waarom stonden die kinderen daar nog? Ze moesten oprotten, terug naar hun eigen moeder. Dan kon hij met zijn moeder in het gras gaan zitten. Nog nooit was ze zo mooi geweest, zo wit en schoon. Hij hoefde alleen maar naar haar toe te lopen. Maar zijn benen beefden en de oude man moest hem ondersteunen om rechtop te blijven staan. Ergens tussen de boomstammen sloeg een luide gong. De vogels van het park scheerden rakelings langs hem heen. 'Kijk eens wie we daar hebben: el bastardo.' Harde snavels pikten in zijn oren, zijn schouders, beten dwars door zijn nieuwe trui.

Je moeder is een hobbelend rijtuigje
voor iedere koetsier.
Je moeder is een deinend scheepje
voor elke passagier.
Ach kindjelief,
van wie ben jij een wandelend souvenir?

Zijn moeder kwam niet dichterbij. Even dacht hij iets te zien, een rimpeling, een schaduw die vervloog. Toen draaide ze zich om en nam het meisje bij de hand. De jongen klemde de bal onder zijn arm en schopte naar iets in het gras. Ze liepen weg, een dienstmeid met twee stomme koters. Geen van drieën keek om.

15

In het ziekenhuis trok Pepe aan mijn arm tot ik mijn hoofd optilde. 'Weet je nog wat je droeg toen ik je zag lopen op dat plein?'

'Moet je me daarvoor wakker maken?'

'Je droeg een rode jurk.'

'Jezus, Pepe. Ik heb bij je gewaakt, vannacht. Ik dacht dat je doodging.'

Pepe grijnsde. 'Een rode jurk bij je roze haar. Je was een alien, cariño, Niemand droeg zoiets in die tijd.'

'Hoor je niet wat ik zeg.'

Gordijnen werden opengeschoven. Ik rook zeep. Een zuster van de ochtendploeg hielp Pepe overeind. Ze trok zijn pyjama uit en sopte met een washand over zijn borst. Zijn oksels werden gewassen, zijn voeten gedroogd, ook tussen zijn tenen, terwijl hij naar me knipoogde, grijnsde.

'Die kus met paprika. Madre mía!' Hij tuitte zijn lippen.

Ik kwam overeind uit de slaapstoel, strekte mijn pijnlijke rug, ribben die gedurende de nacht een blok hadden gevormd; niet nog een nacht in zo'n stoel.

Pepe probeerde lollig te doen en zat erbij alsof hij vandaag nog mee kon naar huis. Een blos op zijn wangen terwijl het daglicht zijn lichaam blootlegde als een afgekloven stoffer op het blik, niets meer of minder. In mijn tas een afspraak voor de tandarts – voortaan kom ik alleen.

'Weet je nog, de Hoogovens, het Spaanse centrum waar we optraden voor gastarbeiders.' Een jolige jongensstem. 'Het dansen en de feesten. Jouw moeder die worsten uit haar koffer haalde voor elke voorstelling, brood, tortilla?'

Mijn god, en daar kom je nu mee? Ik stond op, mompelde iets over me wassen, omkleden. Weg hier, naar het trappenhuis, langs kletsende grieten achter de balie, de winderige parkeerplaats op, frisse lucht.

Denk niet dat ik nooit van een ander heb gedroomd, Pepe, een gezin met kinderen, een zoon of dochter om iets aan na te laten. Mij neem je niet meer in de maling.

~

Acht jaar na de oorlog was de armoede nog even erg. Nog steeds vonden er zuiveringen plaats en alleen aanhangers van het regime werden bevoorrecht.

Met haar laatste geld kocht mijn moeder een marktmeester om zodat we mochten optreden in de stad. Er was veel volk dat bleef kijken, en ik kreeg de opdracht tussen het publiek door te lopen met mijn vaders hoed.

'Por favor, señor, señora.'

Een cent, een stuiver... Als het lang duurde voordat iemand een munt in de hoed liet vallen, verschrompelde ik in mijn jas. Ergens in de drom van toeschouwers stond een opgeschoten jongen. Het moest wel een zoon zijn van een verrader, want hij droeg een warme jas en dure schoenen.

Het was zijn voet waardoor ik op de keien smakte en de hoed uit mijn handen liet rollen. Zijn gegrinnik klonk als het gestotter van een oude keffer. Toen ik de weggerolde munten wilde oprapen, trapte hij hard in mijn buik en graaide het geld voor mijn neus weg.

Ik kroop weg achter het publiek, in een hol van benen, de hoed in mijn ene, de overgebleven munten in mijn andere vuist. Mijn buik deed pijn, mijn knieën bloedden en schrijnden, maar ik gaf geen kik, de voorstelling mocht niet worden verstoord. Nooit.

Er volgde geen straf als ik weinig had opgehaald, zoals voor de bedelkinderen die dagelijks door de stad zwierven en hun schaamte hadden omgezet in brutaliteit. Mijn moeder verweet het zichzelf. Van de overgebleven munten kocht ze sigaren voor mijn vader alsof ze een rijke trotse vrouw was. Toen liet ze ons het marktplein afzoeken naar achtergelaten fruit of brood.

En daar liepen we. Ik met mijn kapotte kousen, Lola en mijn tante Soledad nog in toneelkleding. Het werd al snel donker en we zagen haar verslagenheid toen we met lege handen terugkwamen. Geen resten van eten, zelfs geen rotte tomaat.

Daar stond mijn moeder naast de man die geen bezwaar had gemaakt toen ze sigaren voor hem kocht. Ik keek naar de opgetrokken wenkbrauwen van Lola, de strakke lippen van mijn tante Soledad, en ik hoopte op een wonder, een vallende ster zodat ik een wens mocht doen. Geen eten wenste ik, of mijn vader op een andere planeet, maar zelf groot en sterk worden.

Ik zou de stad doorzoeken en hem vinden, de dief van die middag. Ik zou voor hem zingen tot hij tranen in zijn ogen kreeg. En daarna? Ik zou hem meetrekken naar een steeg, de lafaard. Geen twijfel. Niet doodmaken... aan doden had je niks, hooguit een warme jas. De munten hoefde ik ook niet terug.

Op zijn knieën. Venga! Zijn kop naar de grond. Met één haal van het mes zijn oor eraf snijden, het rechteroor, zoals de rooien deden met een verrader, daarna het linker.

Ja, schreeuw maar, sla je handen maar tegen die bloedende gaten, die vieze krullen van je. Dacht je me nog zo'n streek te kunnen leveren? Wacht maar. Over een paar jaar ben ik beroemd. Dan kun jij alleen nog maar copla's verkopen en schijt ik nog op je laatste broodkorst.

Die nacht sliepen we met lege magen onder de blote hemel in een park. Mijn moeder wiegde me in slaap, mijn hoofd in haar schoot, terwijl mijn vader op een bankje in een rozenperk zat, prenten tekenend en sigaren rokend tot het licht werd.

Vanaf het moment dat mijn vader voor mijn moeder koos, hoorde hij bij het gewone volk. Maar hij bleef het verwende joch dat graag werd verzorgd, een versierder die er niet voor terugdeinsde een paar uur te verdwijnen met een of andere dorpsvrouw. De oorlog, de armoede en de honger veranderden daar niets aan.

Mijn vader kwam terug van zijn avontuurtjes, altijd, en keek dan spottend naar het kruis dat mijn moeder tegen de muur van ons tijdelijke onderkomen zette. Ze had het Christusbeeld tijdens een huiszoeking in Barcelona uit de handen van de communisten weten te redden door het in de asla van de oven te verstoppen.

Als mijn moeder knielde voor het kruis, lachte mijn vader haar uit en noemde religie een spel. Maar als ze bad voor ons, haar kinderen, het gezelschap en hun veiligheid, hield hij zijn mond. Mijn vader wist hoe groot het gevaar was, daar viel niet mee te spotten.

Ze vergaf hem, mijn moeder, en ze bleef hem vergeven. Ze onderhandelde met burgemeesters en paters om te mogen optreden, zorgde voor vergunningen, maaltijden, veilige overnachtingen, valse persoonsbewijzen en teksten van beroemde toneelstukken die ze bewerkte voor een kleiner gezelschap.

Zij was degene die naar voren stapte en het woord voerde als we werden aangehouden door de Guardia Civil of falangisten die ons beschuldigden van landloperij. Dan rechtte ze haar rug, haalde snuivend adem en wees naar onze kleding. 'Is dit de kleding van een landloper, señor? Hebt u niet de bood-schap gehoord van de pregonero op het dorpsplein?' Ze ver-hief haar stem, gebaarde weids. 'Presentación de la gran Compañía Dramática Romeo Ruiz.' Haar hand zocht haar borst. 'Wij treden op in alle grote theaters van het land, seño-res, maar we zijn ook bereid om in de kleinere dorpen onze voorstellingen te geven. Het hele jaar kijkt men naar ons uit. Schaam u.' Terwijl ze sprak, wenkte haar hand en deed ik ge-hoorzaam een stap naar voren. Ik trilde niet meer als een bang konijn. Ik zoog mijn longen vol lucht en zong tot de volwassen kerels ons beschaamd lieten gaan.

16

Er woedt een brand in de duinen en er is een meisje zoek. Tot in de wijde omtrek zijn de rookwolken te zien. Het is aangestoken, voor de zoveelste keer, maar de dader is niet te traceren, zegt de nieuwslezer. De brandweer heeft het vuur dezelfde dag nog onder controle, maar de brand smeult onder de grond verder. Een verdwaalde strandganger vindt het kind gezond en wel in haar bolderkar. Een mongooltje. De moeder in de politiewagen valt flauw als de cameraman haar benadert.

Ik blijf de hele nacht op, kijk naar beelden van het journaal waarin brandweerlieden de grond omscheppen en van dichtbij blussen. Dat is heel arbeidsintensief werk, zegt een woordvoerder, en het weer werkt ook niet mee. Naar verwachting kruipt het vuur ondergronds razendsnel door en zijn ze nog dagen bezig.

Als ik vier keer dezelfde beelden heb gezien, ruk ik de stekker uit het apparaat. Als-ie daardoor stukgaat, is dat maar zo. Ik loop naar de gang, haal de brandblusser uit de kelderkast en probeer zonder bril de gebruiksaanwijzing te ontcijferen. Dan loop ik de nachtelijke straat op, controleer de banden van de Toyota en het reservewiel in de achterbak. Ik tuur naar de lucht, zoek tussen losliggende straatklinkers naar gloeiende puntjes en graaf met mijn blote handen een gat in de voortuin. In de achtertuin rol ik de tuinslang af, klaar voor gebruik. In de keuken was ik mijn handen, smeer boterhammen, zet koffie en giet die in de thermoskan. De enige die me nu in bed zou kunnen krijgen is Pepe. Stel je niet aan, zou hij zeggen, ga slapen, mens. Maar zijn as in de kruik op de schoorsteenmantel is al verbrand en mijn verbeelding die me zo af en toe troost, zwijgt als het graf.

Ik ga aan de tafel zitten en wacht.

Mijmeringen, nu Pepe er niet meer is. Dagdromen. Als kind redde ik de wereld al. Ik raapte het hoofd van mijn oom Fernando op uit het zand en plaatste het terug op zijn hals zodat hij weer adem kreeg. Met één haal van het Moorse mes, had mijn vader gezegd. Met één haal... Pas afgelopen jaar vroeg ik me af of dat wel mogelijk is. Vond op internet alleen filmpjes met akelig lange hakscènes.

Waar kijk je naar, kon Pepe zeggen. Weg met die narigheid.

Ik leg mijn hoofd op mijn armen. Alles altijd weer goed willen maken...

In het land waar ik ben geboren, verraadde men elkaar. In het land waar ik opgroeide zonder vaste woon- en verblijfplaats, bleef de oorlog bij elke stap onder onze voeten doorsmeulen, en dacht ik dat mijn vader altijd op alles was voorbereid.

⁓

Er waren onweersbuien geweest. Ik herinner me een bijna onbegaanbaar pad door de bergen, een zompige lucht vol muggen en de zon die met zijn koortsige lippen alle vocht opeiste. Mijn vader leidde ons zo veel mogelijk door de schaduw. Een ezel droeg de koffers en zakken. Mijn jurk kleefde rond mijn lege maag, maar mijn moeder stond ons niet toe om te gaan zitten en te eten. Met enige regelmaat dook er een man op uit de struiken die ons een halt toeriep, met mijn vader fluisterde en ons vervolgens gebood om door te lopen. Versleten kleren droegen ze, lijnen in hun gezicht alsof ze de verbrande kurk uit de koffer met schmink hadden gebruikt. Een spel onder een bloedwarme lamp. Toch leek het erop dat ons gezelschap hen geruststelde. Ze sloegen mijn vader op zijn schouder als een kameraad, maar ik wist zeker dat hij deze mannen nooit eerder had gezien.

Normaal gesproken zou ik tijdens het lopen zangoefeningen hebben gedaan met Lola, maar we zwegen. Iedereen zweeg. Het gevaar kon ons volgen. Ik hield mijn pas in tot naast de ezel, leunde tegen zijn hals. 'Wij zijn vrienden,' fluisterde ik in het oor dat flapperde alsof ik een lastige vlieg was.

'Niet,' zei de ezel. 'Ik heb geen vrienden.'

Ik sloeg mijn armen om zijn hals en krabde tussen de vettige stoppels achter op zijn kop. 'Denk maar dat wij vrienden zijn, alleen jij en ik. Als je heel hard denkt dan is het zo.'

Een spelonk, zo verscholen tussen het groen dat ik de kloof pas op het laatste moment opmerkte. Ik was moe, maar niet zo moe als mijn tante Soledad die meteen in het gras neerzakte. 'Madre mía, mijn voeten.' Ze rukte haar schoenen uit en hijgde als een oude geit. We waren gewend om dagen te lopen, maar de vochtige hitte van die middag had alle kracht uit ons weggezogen; ook de ezel weigerde nog een stap te zetten.

Een bergkam zette het mes in de zon. Een rode gloed beloofde verkoeling en ineens was het zwijgen voorbij. Er waren meerdere mannen. Ze zaten met hun rug tegen de rotswand te roken en stonden op toen ze ons zagen. Omhelzingen voor mijn vader. Voornamen. Sommigen knepen in mijn wang en maakten grapjes. Er werden koppen wijn uitgedeeld, waterzakken.

Een van de mannen trok Lola naar zich toe en danste met

haar door het gras. Mijn moeder begon te zingen op de maat van de dans, zacht en klagend. Het vingerknippen volgde, een ritmisch handgeklap, weliswaar gedempt, maar er gebeurde iets. De vermoeide gezichten kwamen tot leven en het gevaar leek vergeten.

In de grot ontdekte ik vuur tussen twee muurtjes. Daar lagen varkenssnuiten en pootjes op kippengaas. Ernaast borrelden linzen. De rook kleefde als dotten mos tegen de rotswand. Aan haken hingen strengen met uien en pepers. Er stonden kruiken en wijnlaarzen, stapels blikken en een zak waar broden uit staken.

De man die zich bezighield met het eten was verrast: een meisje in de grot waarin hij zich al jaren verschool. Zijn ogen traanden door de rook. Een huid van berkenschors, randen vol stoppels. Iets in zijn gezicht kwam me bekend voor, de ronde kaken, een duidelijke mond. Hij pakte mijn hand, liet me een rondje draaien en vertelde over zijn eigen dochter die hij al zo lang niet meer had gezien.

'Even oud is ze nu, cariño, en ik hoop even mooi.' Toen gaf hij me te drinken uit een waterkruik, sneed de randjes van een varkenssnuit waar hij zout op strooide uit een blik met gaten. 'Toma!' De reepjes vlees knisperden tussen mijn tanden. 'Als het waar is wat de anderen beweren, dan gaan we binnenkort naar huis en zal ik haar eindelijk weer zien.' De man wreef met zijn beroete hand langs zijn ogen. 'De tijden veranderen, meisje.' Hij schraapte zijn keel, fluisterde. 'Maar dat zijn geen onderwerpen om met jou te bespreken, mijn kleintje.' Hij veegde zijn handen af aan zijn broek en streelde mijn wang. 'Eet jij maar lekker.'

Die avond koos mijn moeder voor twee sainettes, vrolijke sketches. De mannen hingen paardendekens voor de opening van de grot en ontstaken carbidlampen. Ze leken onverwacht zorgeloos met hun schone hemden en nat gekamde haren.

Bij gebrek aan meerdere acteurs maakte mijn moeder gebruik van foto's. Ze nam de portretten in haar hand en stelde vragen aan de personages alsof ze erbij waren. Bij de een hield ze een zakdoek tegen haar ogen en sprak met een klagelijke stem, en bij een andere foto lachte en roddelde ze. De mannen bemoeiden zich met haar spel, ze wilden mijn tante Soledad, die een gemene vrouw speelde, wel wat aandoen en klapten als wilde jongens.

Na het eten droeg mijn vader gedichten voor van Lorca en Hernández. Teksten met een politieke boodschap. Een nachtstem. Zijn handen gebaarden mee met zijn woorden, en hij leek antwoord te krijgen van schimmen die zich verscholen in de spelonken, maar nu toch dichterbij durfden te komen.

Mijn liedje zal verdwalen in het woud,
het is een dochter die ik weg moet sturen,
het liefste kind dat ik verdriet moet doen.
Ze zoekt mij langs de beken, op de rotsen,
al ben ik ook verloren in de tijd,
al vindt zij ook een jas, een broek, een schoen.

De jongens werden weer volwassenen die stil luisterden. Ik rilde en de man van de varkenssnuiten sloeg zijn arm om me heen. Hij knikte geruststellend. Zijn gezicht gloeide op in het licht van de lamp en opeens wist ik aan wie hij me deed denken: aan mijn oom Fernando van de foto, de neef van mijn vader die zijn hoofd had verloren in Marokko. Hij was het die naast me zat, en ik drukte me tegen zijn magere lichaam aan – denk maar dat we familie zijn. Als je heel hard denkt dan is het zo!

Misschien kwam het door de wijn die overvloedig uit een grote pan werd geschept, maar de mannen deden geen moeite meer om hun tranen te verbergen. Hoelang waren ze al op de vlucht en leefden hier in de grot zonder vrouw en kinderen? Murw van het wachten lieten ze zich meevoeren door woorden van dichters die hun strijd begrepen, hoop gaven op betere tijden.

Na de voorstelling moesten we meteen weg. Het was te gevaarlijk om in de grot te blijven. Juist 's nachts trokken patrouilles van Franco door de bergen. Gehaast werd er afscheid genomen en een van de maquis leidde ons in het donker een pas over, een steile helling af. Schorsplaten knisperden onder mijn schoenen, cidergombomen, de sterke geur van hun doosvruchten. Er streek iets langs mijn benen. Ik struikelde, maar mijn moeders hand hield me overeind. Waarom was de ezel in het kamp achtergebleven?

De maan kwam tevoorschijn, wolkenflarden. Brujas. Even dacht ik een gejammer te horen, gesmoord geschreeuw, maar het was te ver weg om er zeker van te zijn.

Bij een lager gelegen veld wees de gids ons de stal waar we die nacht gebruik van mochten maken. Hij ontstak een olielamp, omhelsde zwijgend mijn vader en maakte zich gehaast uit de voeten.

Het was er vochtig en koud. We sliepen op stro met al onze kleren aan en de toneellakens over ons heen. Maar het was helemaal niet erg. Het zou niet lang meer duren voordat mijn nieuwe oom naar huis kon gaan en eindelijk zijn dochter kon zien die even mooi was als ik.

17

Na de gebruikelijke ronde van de artsen werd de dosis morfine verhoogd. Pepe begon te hallucineren. Twee dagen voor zijn dood zag hij de ziekenzaal aan voor een kloostercel. Hij sprak me aan met 'vader', strekte zijn armen naar me uit in de veronderstelling dat ik de broeder was die hem had leren lezen en liet zich als een kleine jongen omhelzen. Even later leek hij zich toch weer te realiseren dat hij in het ziekenhuis lag. Met een vreemde glimlach om zijn lippen vertelde hij over de lessen in het klooster, hoe de broeder zijn rozenkrans had laten rusten in zijn schoot toen Pepe zijn copla's voordroeg, en naar hem had geluisterd met tranen in zijn ogen.

'Kun je je dat voorstellen, Juanita? Hij was de eerste die naar mijn copla's luisterde.'

De broeder had in Pepes wang geknepen en gezegd dat hij een uitzonderlijke gave had. Niet alleen om voor te dragen, maar ook om met eenvoudige woorden gedachten te beschrijven. Hij had een schrift tevoorschijn gehaald. Als Pepe foutloos kon schrijven, mocht hij daarin al zijn copla's optekenen. 'Je eerste bundel,' had de broeder gezegd. 'Werk waar je trots op mag zijn.'

Pepe rilde alsof hij terug was in het kille klooster in plaats van in de warme ziekenzaal, en ik legde een deken over zijn benen. Geen vragen stellen nu. Kalm blijven, voor Pepe, zijn verhaal, ook al trok er iets door mijn lijf, een beverigheid. Gewoon aanhoren hoe hij vertelde over die vaderlijke broeder die hem tegen zich aantrok, over zijn rug streek en zei dat Pepe bijzonder was, een jongen die met zijn woorden mensen troost zou geven, kinderen zonder vader. Een voordrager van de geschreven cultuur. Ook dat nog.

Ergens in de zaal bliepte een apparaat. Piepende zolen haastten zich naar een patiënt schuin tegenover Pepes bed. Een zware stem klonk, van een verpleger, kalm, gewend aan penibele situaties. Binnen een mum van tijd werden er collega's geroepen, slangen afgekoppeld.

Pepe staarde met opengesperde ogen naar het voorbijrijdende bed, het verstilde lichaam onder de lakens en ik streelde zijn verkrampte handen tot zijn vingers zich langzaam ontspanden. Toen liet hij zijn hoofd rusten tegen mijn schouder, zuchtte, moest opeens toch huilen.

⌒

De klap van de zware kloosterdeur trilde na in de muur. Een gestalte schuifelde achterwaarts en Pepes hart bonkte tot in zijn tenen. Buiten was de ochtend duidelijk aanwezig, maar hierbinnen leek de dag niet van belang. Dit was zijn nieuwe huis. El monasterio. Hij wilde zijn oor tegen de muur drukken, stemmen horen, het gezang van koorknapen, maar de vingers van zijn moeder konden rode striemen slaan en wat zou de overste dan denken? Dat hij een jongen was die nog klappen nodig had?

Het gebonk in zijn lijf nam af. Zijn moeder zette de rieten koffer op de plavuizen en hij ging dicht naast haar staan. Ze had hem opgehaald bij de oude man en vrouw, eindelijk, en hij had gejuicht toen ze vertelde dat hij net als Fina in een klooster mocht wonen.

Opnieuw een deur die klapte. Naderende voetstappen. De gang vulde zich met een man in een donker gewaad. De kap van zijn pij hing op zijn rug en hij hield zijn hoofd gekanteld alsof hij bang was het plafond te raken. 'Zo, daar hebben we onze nieuwe zoon.' Het klonk alsof de man sprak met een volle mond, een geur die Pepe niet thuis kon brengen. Een hand met een ring reikte naar zijn kin en opeens moest hij aan zijn eigen vader denken, aan het deuntje dat hij floot voor hij de kamer binnenkwam. Pepe boog, kuste de ring en bleef de hand vasthouden. Ruwe littekens rond de knokkels. Had deze overste paters en nonnen gered uit de klauwen van de communisten? Had hij moeten vechten om de heilige beelden te beschermen tegen de vernielzucht van de rooien? Nog vaster omklemde hij de hand. Wat had je aan een vader die daaraan had meegedaan en zonder uitleg uit zijn leven was verdwenen? Hier stond zijn nieuwe vader. Pepe keek op naar het vlezige gelaat boven hem. Zonder angst joeg Fina een wolf weg die een koe naar de rand van een rots dreef, en zo zou ook hij alles doorstaan. Een makkie.

Zijn eerste copla's in het klooster gingen niet over de jongens die er woonden, het wassen bij een wasbak met een kraan, of over de broeders die toekeken als roerloze bruine pilaren. Die eerste verzen gingen over aardappels.

Pepe moest wennen aan de regels, het vroege opstaan voor de mis. Links van hem sliep Javier, rechts Ricardo. Een slungel en een kindengel. Ook tijdens het eten en de lessen zat hij tussen hen in. Praten was fluisteren, en Pepe nam die gewoonte als vanzelf over. Ricardo beweerde zijn beste vriend te zijn, maar Javier leerde hem hoe hij de kevertjes uit zijn bonen moest peuteren tijdens het eten. Hij kraste het aantal met zijn mes in het tafelblad en trok een gezicht alsof hij zijn dagen telde. 'De varkens krijgen beter te vreten dan wij.' De lange slungel tilde zijn mand met aardappels, hielp met schillen als Pepe niet op tijd klaar was en wikkelde lapjes om zijn vingers als ze gingen bloeden. De vellen papier die ze na het aardappelschillen moesten vouwen hadden scherpe randen. Als je niet uitkeek sneden ze ongemerkt in je huid. In de hoek van de boekbinderij stond een broeder. Als je slordig werkte of vlekken maakte, kreeg je een klets voor je harses of dreigde hij je naar de overste te sturen. Niemand wilde naar de overste. Alleen al het horen van zijn naam maakte sommige jongens van streek.

'Flikkertjes, die janken om niks,' beweerde Javier van achter zijn hand. 'En wat dacht je van hem?' Hij wees met een knikkend hoofd naar Juan die net terug was van een klus voor broeder Marcelino en nu met rode ogen een sinaasappel leegslurpte. 'Een lievelingetje.' Hij lachte schamper. 'Wat denk je, wij krijgen nooit een sinaasappel, en je dan nog aanstellen ook.'

Pepe was de kleinste van alle jongens in het klooster. Toch sloeg Javier hem vol bewondering op zijn schouder. De liturgie, alles wat pater Tiburcio voorlas probeerde hij uit zijn hoofd te leren. Als hij een regel vergat kreeg hij een tik. Soms viel hij van zijn kruk en suisde zijn oor voor de rest van de dag. Maar Pepe gaf geen kik. Knielen op steengruis was erger. Armen wijd, in elke hand een boek. De eerste keer lukte het hem niet om de zware bijbels in de lucht te houden terwijl het gruis in zijn knieën brandde, en toen jankte hij zonder tranen, maar daarna ging het beter.

Nog voor broeder Hilario begon met voorlezen, vertelde Pepe zijn geheim.

'Als ik groot ben sterf ik een marteldood. M'n kop gaat eraf. Ik ben Santiago.'

'Santiago?' Javier floot tussen zijn tanden en Ricardo zuchtte. Zijn blauwe engelenogen spiedden naar broeder Hilario die in zijn boek bladerde, toen wees hij naar zichzelf. 'Ik ben San Francisco. Ik kan met vogels en wolven praten.' Zijn gefluister werd gesis en de jongens tegenover hen aan tafel hingen ver over hun borden om iets op te kunnen vangen van het gesprek.

'Na mijn dood krijg ik een paard. Dan moet ik vechten met een zwaard en een kruis.' Pepe maakte steekbewegingen onder de tafel. De volgende keer zou hij de houdingen voordoen, kreten slaken; als de pijen er niet bij waren.

Javier grinnikte, hij ging rechtop zitten, hief zijn hand. 'Qué va! Paters worden niet meer gemarteld, dat was vroeger.' Hij keek Pepe en Ricardo aan alsof ze kleuters waren. 'Nu word je alleen nog heilig verklaard als je een verschijning hebt gezien, een Maagd of een andere heilige.'

'Niet.' Pepe voelde dat hij rood werd.

'Wel.' Javiers vingers trommelden op de tafel.

'Ik heb al heel vaak verschijningen gezien.' Ricardo reikte voor Pepe langs en trok aan Javiers arm. 'De zoon van de Maagd heb ik gezien, San Francisco en alle andere heiligen.' Zijn wangen glommen als het altaar. 'Ze lieten me drinken uit de heilige beker en ik mocht ook bij ze slapen.'

Javier rukte zijn mouw los. 'Geloof je het zelf?' Hij snoof en wees naar zijn voorhoofd. 'Tonto del culo!'

'Niet. 't Is geen onzin.' Als je fluisterend kon schreeuwen, was dat wat Ricardo nu deed. Zijn vriend kneep zijn blauwe ogen tot spleetjes, gromde als een hond.

Pepe wilde zeggen dat ook hij een verschijning had gezien, dat Santiago soms zomaar tussen de bomen verscheen, maar ineens klonk er echt geschreeuw. De jongens duwden Pepe van de bank, sloegen en trapten naar elkaar, totdat broeder

Hilario met grote passen op hen afkwam en Ricardo aan zijn oor overeind trok.

'Naar de kapel, jij. Op je knieën tot ik je kom halen.' Toen draaide de broeder zich om. Hij keek naar het gebogen hoofd van Javier en opeens was iedereen stil. Een lepel kletterde op de plavuizen. Een hand pakte hem bij de schouder. 'Jij bent ouder, jongen, jij had beter moeten weten. Vooruit, opstaan, je melden bij de overste.' De stem klonk alsof het hem speet.

Javier stond op. Een moment leek hij te aarzelen, alsof hij iets wilde uitleggen. Toen haalde hij zijn schouders op, stapte over de bank en liep met een rechte rug naar de gang.

De geluiden kwamen terug. De borden naast Pepe werden weggegrist door de andere jongens aan tafel, maar hij durfde niet te reageren. Hij wist niet hoelang Javier weg zou blijven en dacht aan de overste in zijn witte toog met de gouden borduursels, zijn zuivere stem tijdens de mis, de handen met de ruwe littekens rond de knokkels. Hij boog zijn hoofd en sloeg een kruis.

Toen Javier terugkwam, moest hij op de balustrade blijven staan. Een waarschuwing voor de jongens in de eetzaal. Zijn oog zat dicht. Plakkerige striemen liepen door tot in zijn haar. Een bloedlip maakte praten onmogelijk.

Uiteindelijk mocht Pepe van broeder Hilario met Javier mee om hem te helpen. Zolang de jongens hem konden zien, probeerde de lange slungel niet te strompelen. In de slaapzaal liet hij zich kreunend op bed zakken en Pepe kromp ineen: zelfs zijn moeder sloeg niet zo hard. Hij trok zijn trui uit en maakte zijn hemd nat bij de wasbak. Met trillende vingers drukte hij de natte lap op de zwellingen rond Javiers oogkassen. De scheur in diens lip durfde hij niet aan te raken. Zijn moeder zou de bijl hebben gepakt om het koude ijzer ertegenaan te drukken, maar hier hadden ze geen bijl.

Toen Javier gebaarde dat zijn neus lekte, wrong Pepe het hemd uit en hielp met snuiten, slikte toen hij het bloed zag. Hij wilde iets zeggen tegen zijn vriend, maar wist niet wat. Was Javier ook een leerling van Santiago? Pepe veegde zijn neus af aan het kussen. Zijn ogen brandden, maar hij huilde niet. Javier had ook niet gehuild.

'De overste is gek,' fluisterde Javier toen Pepe hem tijdens het aardappelschillen naar de straf vroeg. 'Het maakt hem niet uit wat je hebt uitgevreten. Hij neemt een paar slokken uit zijn karaf, gaat staan en slaat je met één klap tegen de vlakte.' Javier deed het voor, zette zijn aardappelmand neer, maaide met zijn vuist door de lucht en schopte fel tegen een denkbeeldig lichaam op de grond. 'En dan moet je zingen. Vier coupletten van: "Hoe zou ik van U vluchten?"' Javier gebaarde alsof hij iets weggooide, ging op zijn kruk zitten en deed een greep in de mand. De zwelling rond zijn oogkas was geslonken, maar zijn lip barstte telkens open en dan droop het bloed langs zijn kin. Hij veegde het weg alsof het niks was. 'Over een tijdje ben jij aan de beurt, Pepin. Je hebt de laagste cijfers van de klas.'

Pepe boog zich over de aardappels en zweeg. Javier had het onzin gevonden wat Pepe had verteld: leerling zijn, beproevingen doorstaan. Zijn lange vriend was in het klooster omdat zijn ouders dat wilden. Liever was hij met zijn oom meegegaan naar het slachthuis aan de rand van de stad. Nu wilde Javier hem voorbereiden op de afranseling en hij vertelde dat Pepe niet moest opstaan als hij tegen de grond ging. 'Als je je slap houdt, vindt-ie er niks meer aan en schopt-ie je zo naar de gang.'

Maar Pepe wilde niet bang zijn voor de nieuwe vader in zijn leven. Hij staarde naar de aardappel die hij zo dun mogelijk moest schillen en zette het mes in de zanderige schil.

De kleine bleke duivels van de aarde,
hun zwarte ogen zeggen: kijk naar mij,
en kijk je zeven keer, dan ben je dood,
dan zul je rotten in de klei.

Niet bang zijn, kind. Hier is een mes.
Grijp naar die monstertjes en snij
hun lijven open, steek hun ogen uit.
In kokend water sterven zij.

18

Ik ben goed in inpakken. Als je geboren bent tussen koffers weet je exact wat je nodig hebt om te kunnen leven. Dat verleer je net zomin als fietsen. Ik luister heus wel naar het advies van de dokter en doe geen dingen waar ik spijt van krijg. Maar nu Pepe er niet meer is, voel ik me alleen nog thuis bij een koffer die klaarstaat om op elk moment van de dag te kunnen vertrekken.

Ik weet hoe je de gaskraan dichtdraait en het water afsluit als je een huis achterlaat. De buurvrouw moet een sleutel hebben voor de post of onverwachte calamiteiten. De buitenkraan moet ingepakt tegen vorst. De zwarte en groene afvalbakken moeten worden geleegd, en het badkamerraam op een kier gezet voor ventilatie. Het is handig om mottenballen te leggen bij de kleren in de kasten. Eten dat aan bederf onderhevig is kan in de koelbox mee voor onderweg. Water, dekens en een medicijndoos staan al in de achterbak van de Toyota. Een jerrycan benzine. Een kist met een deken, waar Pepes kruik in past. Kleren en toilettas. De nodige papieren zitten in mijn handtas, net als geld en een bankpas. Een kort bericht voor vrienden.

Mocht de mogelijkheid zich voordoen, binnen een uur ben ik vertrokken.

Ik weet niet meer hoelang ik in de stal op de berg heb geslapen, maar toen het ochtendlicht opkwam, kroop ik onder mijn moeders jas vandaan en ging terug naar de grot van de maquis. Ik had de ezel mijn vriendschap beloofd en beklom het steile pad om hem te halen. Nog maar een paar uur geleden was het hier stikdonker geweest, nu kwam ik langs manshoge rotsblokken en warrige struiken van dezelfde vale kleur als hun vlekkerige schaduwen. Hoger op de berg de cidergombomen die ik die nacht had geroken, schorsplaten op het pad. Schrale dennen tot aan de bergpas. Toen een klein rotsplateau dat uitzicht bood over het dal op de bergen daarachter.

Ik bleef staan, mijn hand boven mijn ogen tegen de zon. Een sprookje aan mijn voeten: kastelen met groene torens, schalen tot de rand gevuld met zilverwater. Een kring van grijze puntmutsen, bij elkaar gekropen om te smoezen. Daar ergens moest de ezel zijn.

Ik nam een sprong, fladderde over het spoor dat nauwelijks op een pad leek: grashalmen die weken, omgewoeld zand tussen keien. Ik viel, gleed een heel stuk over dennennaalden die in mijn billen prikten, schramde mijn zij, sprong weer op. Niet naar kijken. Doorlopen. Ik wilde terug zijn voor mijn ouders zich zouden afvragen waar ik was. Hun verbazing als de ezel daar zou staan.

Het spoor daalde verder, minder steil nu. Een tunnel door struiken, kikkers op hun stekels gespiest. Erboven kaalgevreten bomen vol rupsen aan draden. Ik had dorst, maar hoorde nergens water. Was het daar, achter die muur van groen?

Rustig lopen nu. Een reusachtig spinnenweb. Iets hoger een vogelnest, verlaten en scheef weggezakt, de wurggreep van een klimop.

Ja, daar was de eik, de stam waar ik met mijn armen wijd wel vier keer omheen paste. De enorme wrat bij de eerste zijtak.

Ik bleef staan, trillend ademend. Stil was alles, beweging-loos. Het blad aan de bomen, de aren aan de grashalmen. Alleen mijn hart werd een klok met een daverende slag. Mijn handen voor mijn ogen. Na twaalf slagen kwam de koets, vier paarden, wuivende veren op hun hoofdstel. Dan werd alles weer goed en mooi.

Negen, tien... Ik gluurde tussen mijn vingers door. Niet naar sprookjes verlangen. Groot zijn zoals Lola. Mijn hoofd achterover. Handen weg. Een koker van stammen en blad, nauwelijks hemel, lichtstralen die zich nergens iets van aan-trokken. Niet huilen, huilen was voor op het toneel. Ik hurkte, plukte handen vol gras, rolde er bollen van die ik onder het bovenstukje van mijn jurk propte waar tijdens een voorstelling de lappentietjes zaten. Toen pas durfde ik weer voor me uit te kijken.

Iemand had de lichamen van de maquis onder aan de rots-wand kriskras over elkaar heen gelegd. Mannen die ik de avond ervoor nog had zien lachen als schooljongens. Hun wangen waren witte duiven en hun ogen weigerden me aan te kijken. Sommigen waren kapot en besmeurd met bloed. Daar zaten de meeste vliegen. Geen spoor van de ezel.

Ik liep bij ze vandaan, zocht in de spelonk naar de man van de varkenssnuiten die op mijn oom leek en een dochter had die even mooi was als ik. Het vuur tussen de muurtjes smeul-de nog, maar de grot was verlaten. Een chaos van slaapzak-ken, laarzen en omgevallen lampen.

Ik vond de man onder een andere man. Zijn hemd was doordrenkt van bloed, maar zijn gezicht was zoals ik het me herinnerde: witte berkenbast met randen vol stoppels, ronde kaken en een duidelijke mond.

Ik greep zijn handen beet, trok en rukte om zijn lijf onder het andere lichaam vandaan te krijgen, wat maar half lukte.

Uiteindelijk sleepte ik hem aan zijn benen mee naar het gras. Het zag er niet mooi uit, maar het moest. Bidden had geen zin: God redde alleen zichzelf.

Daar in de zon trok ik zijn hemd uit, sloeg de vliegen weg en waste zijn borst met water uit een kruik tot de gaatjes in zijn vel geen bloed meer lekten. Bij de andere lichamen zocht ik een kledingstuk zonder vlekken en vond een jasje met mooie knopen. De eigenaar wilde het niet afgeven, maar hij was dood en ik was sterker, gaf hem een harde trap die hij beantwoordde met een reutelende zucht.

Toen kleedde ik mijn oom opnieuw aan en plaatste zijn hoofd tegen een boom. In de grot warmde ik de restjes van een varkenssnuit in de as van het vuur. Ik strooide er zout op uit het blik met de gaten, en stak de reepjes tussen zijn stijve lippen door. Een beker wijn bracht ik hem, waarvan het meeste langs zijn kin lekte. Een korst brood waardoor zijn wangen bolden.

Denk maar dat je weer leeft, als je heel hard denkt dan is het zo.

Het lukte. Zijn lijf begon te rillen als een stuiptrekkend dier voordat hij eindelijk tot leven kwam. Toen stond hij op en lachte naar me met ogen die traanden. Het jasje maakte mijn nieuwe oom belangrijk, gaf hem het recht om bevelen te geven in plaats van eten te koken voor mannen die misschien wel nooit dank je wel zeiden.

'Vertel me je naam, meisje!' Hij greep mijn hand en liet me rondjes draaien tot ik er duizelig van werd. Grotten en bomen flitsten voorbij in strepen felgroen gras, een draaimolen vol lichamen die rondzwierden met slappe wuivende armen; sneller dan de vliegen, die smerig ronkende duivels.

De klok in mijn borst sloeg twaalf. Ik lachte, schaterde: het was me gelukt. Mijn nieuwe oom was terug uit de dood en samen dansten we op een vijver van bloed, maakten kringen die uitrolden tot rode golfruggen, brekers die stukspatten op de walkant. Een koets met paarden.

Toen rende ik weg, volgde het spoor terug naar de stal, naar mijn ouders, voor ze zouden merken dat ik weg was.

⌇

Het liegen, of hoe je het ook wilt noemen, is gebleven.

In het ziekenhuis stierf Pepe door een luchtbel in de slang van het infuus en stond weer op. Hij stikte door een slijmzuiger in zijn keel en kwam weer overeind in zijn bed. Een meisje huppelde de zaal binnen en sloeg een kruik op zijn hoofd kapot. Hij stierf terwijl het bloed langs zijn gezicht gutste en hij me strak aankeek en beweerde dat hij nog lang niet alles had verteld; dat ik dus nooit te weten zou komen wat hij nog meer op zijn kerfstok had. Hij kreeg de hik terwijl hij telkens doodging en weer opstond. Zijn armen en benen trokken zich terug in zijn romp zoals de oogsprieten op de kop van een slak, en ik tilde hem uit bed en stopte hem in mijn tas. Ik smokkelde hem het ziekenhuis uit, zette de tas in de Toyota op de stoel naast me en startte de auto. Bij de tunnel reed ik de snelweg op, schakelde de cruisecontrol in en draaide de volumeknop van de radio uit om tegen hem praten, om hem in vier dagen alles te vertellen wat ik al die jaren voor hem verzwegen had.

'Kom, laat mij nu je naam vergeten, dan weet ik pas dat jij het bent.'

In ons lege huis, in ons inmiddels stinkende bed, droom ik dat we samen voorgoed teruggaan naar Spanje en word ik jankend en lachend wakker.

19

Toen het bericht van de vermoorde maquis mijn vader bereikte, draaide hij twee dagen en nachten met trillende vingers aan de knoppen van zijn transistorradio. Hij sliep en at niet, zocht wanhopig naar de krakerige stem van *Radio Pirenaica* die hem kon aanmoedigen verder te gaan tussen de levenden. Maar in de oude stal was geen bereik. Uiteindelijk trok mijn moeder hem tegen zich aan, wiegde hem in haar armen en dwong hem terug te keren in onze wereld. Het had geen zin om te treuren. Er was geen eten meer, en we moesten verder.

Het heeft me altijd verbaasd: niet de dood, maar de honger bleef mijn moeders grootste angst. Honger was erger dan een kogel door je kop of een mes in je hals. Toen Franco de theaters in Catalonië liet sluiten en er geen werk meer was, schoof mijn oma haar karige portie eten door naar haar dochters en kleindochter, en haar lichaam begon aan zichzelf. De honger vrat tot de huid na verloop van tijd als een sleetse lap over haar skelet hing. Ze had aan zichzelf niet genoeg, verloor haar spraakvermogen en stierf. De resten van haar lichaam werden binnen een dag begraven in een zak die nauwelijks meer woog dan een big.

Jaren later liet mijn moeder de acteurs in hun beste kleding bij de dorpsbewoners om oud brood vragen. Lijm voor aanplakbiljetten werd daarvan gemaakt, zeiden ze, wat niet waar was, maar er was tenminste iets te eten. Ze zocht eieren, molk de koeien na als we in een stal overnachtten en zette slakken een nacht in meel zodat ze hun eigen slijm uitspuugden. Ze deinsde er niet voor terug om een kip de kop af te hakken, en stak met hetzelfde gemak als Pepe het mes in een dierenhart. Wat het ook was, mijn moeder maakte er een maaltijd van. Ze zag erop toe dat geen van ons iets van het eten liet staan, en ik als enige had er moeite mee.

Twaalf jaar na de oorlog, toen ik ouder werd en veel te mager bleef, sloot de werkloze acteur José Obiols zich bij ons aan. Een man die van lieverlee vis verkocht op de markt, maar in alles mijn moeder evenaarde: de drift die door hun aderen stroomde, het dwingende van hun uiterlijk en het gemak waarmee ze het podium betraden. Mijn moeder vond het prima dat ook zijn vriend David meereisde. José maakte punch voor me door eieren een nacht in citroensap te weken totdat de schalen waren opgelost. De volgende dag klopte hij het mengsel van struif en sap met suiker en sterke drank op tot een schuimig ontbijt. Het vulde mijn maag en wekte de eetlust op voor een volgende maaltijd. Mijn gewicht nam weer toe, en mijn moeder sloot hem in haar hart.

We zongen tijdens het lopen. Stukken uit zarzuela's die te groot waren voor ons gezelschap. De stem van José was laag en krachtig en resoneerde met mijn hese sopraan. Niet alleen zijn stem was een instrument. Zijn armen bewogen alsof hij met een denkbeeldige strijkstok de snaren bespeelde van een cello: zijn lichaam was een klankkast van gelakt hout onder een hoge kam. Zijn lach maakte weerloos. Zowel de mannen als de vrouwen die naar ons optreden kwamen, konden hun ogen niet van hem afhouden. Ze kwamen terug en wilden meer. Ook al waren de paters en falangisten van verschillende dorpen achterdochtig en zochten ze naar een politieke boodschap in zijn teksten, ze vonden geen reden om het optreden te weigeren. José deed wat mijn vader deed en wat Pepe later ook zou doen: hij betoverde de toeschouwers, spiegelde hun een droomwereld voor waarin ze voor een paar uur verdwaalden, zichzelf vergaten en in vrijheid leefden.

Langs de wegen van het land
zijn namen uitgezaaid.
Ze liggen op mijn huis, mijn dorp,
ze plakken aan de liefde en de haat,
aan zachte kussens van een bed
en messen uit een wrede oorlog.

Langs de wegen van het land
zijn namen uitgezaaid
op de mannen, op de vrouwen,
als stof, als kleefkruid in het haar.
Kom, laat mij nu je naam vergeten,
dan weet ik pas dat jij het bent.

Je naam, dat is de mantel die je draagt,
daarachter klopt je hart.
Je naam, dat is het poeder op je wang,
dat is je lippenrood, je ogenzwart,
dat is de mantel die je draagt
en die ik scheuren zal.

Er waren artiesten die maar kort bij ons bleven. Ze speelden als amateurs, dronken te veel of stalen van de dorpsbewoners en werden door mijn moeder meteen weer weggestuurd. Maar soms waren haar redenen onduidelijk. Dan keek ik naar haar scherpe neus, de samengeknepen lippen en schaamde me voor haar hardvochtigheid. Had ze een tip gekregen, vermoedde ze dat de artiest een verrader was – zoals de man die met mijn vaders spotprenten naar de guardia's wilde gaan?

José sloeg een arm om mijn middel. Hij trok me mee in een dans langs de slootkant, zijn spelletje om me af te leiden als ik ergens over piekerde.

'Het is goed dat-ie weg is, Juani, die man heeft slechte vlooien.'

'Hij was aardig en speelde goed.'

José leidde me langs de walkant, liet me ver achterover buigen. 'Dat is niet genoeg.'

'Hoezo?'

'Zeg me waar je goed in bent en ik zeg je wat je mist.'

Ik rukte me los en ging in het gras zitten. 'Mag je dan niets goed vinden van jezelf?'

'Caramba, muchacha, natuurlijk wel! Dat moet zelfs.' José danste verder met een denkbeeldig lichaam in zijn armen. Voor de struiken bleef hij staan, liet zijn armen zakken en draaide zich om als een stramme soldaat. 'Je moet weten waar je talenten liggen om ze te gebruiken.' Hij sloeg zijn hakken tegen elkaar, salueerde. 'Maar het is onze plicht om steeds een tree hoger te reiken. Daarom oefenen we zoveel en is je moeder nooit tevreden.'

'Ik dacht dat jij vis verkocht op de markt.'

'Ja, en?'

'Je lijkt mijn vader wel.'

Hij liet zijn arm zakken en marcheerde op me af. Toen spreidde hij zijn vingers voor zijn ogen en huppelde met hoog opgetrokken knieën door het gras, een buigende nar met een akelige grijns.

'Kan dat niet dan, dat je als visverkoper alles doet wat in je vermogen ligt?'

Hij hield zijn been in de lucht alsof het daar werd vastgehouden, onmogelijk los kon komen, een wankelende dwaas. 'Zou je dat dan willen, Juani, zou je willen blijven op het punt waar je nu bent beland?'

Toentertijd begreep ik het niet, dacht ik dat het gewoon was dat er op de aardbol mensen rondliepen die zich als vanzelf bij ons aansloten. Maar na al die jaren besef ik dat het uniek was. Dat ik heb mogen samenwerken met mensen die virtuoos waren, een gave bezaten om op grote podia te staan, maar van het leven weinig mogelijkheden kregen om hun talent uit te dragen. José maakte iets in mij wakker. Hij had muzieklessen willen volgen, een opleiding, maar de oorlog kwam ertussen, de dictatuur, het geldgebrek van zijn ouders. Nu pakte hij alles aan om dat wat hij verdiende naar hen op te sturen.

'Ga iets doen, Juanita. Je ouders kunnen het nu betalen en je hebt talent.'

Ik stond aarzelend op, klom de schuine slootkant op. 'Ze zien me aankomen, die leraren. Een griet die alleen les heeft gehad van haar vader.' Ik slenterde de weg op, niet eens de paardenvijgen vermijdend. 'Hoe kan ik een opleiding volgen als we altijd weer verder reizen?'

José volgde me, pirouettes draaiend. 'Je vecht niet, Juanita, je bent lui. Een big die zijn eigen modderpoel niet uit komt.'

20

Pepes volgende gedicht in het klooster bestond uit vier verzen.

De kamer van de overste was groot. Een vloer als in het kasteel van de gravin. De Madonna gevangen onder glas. Een decor waarin Pepe niet naar voren zou durven te stappen, laat staan iets voordragen. Hij wierp een schuwe blik op de mannen bij de tafel, hoofden die tussen de haarringen glommen. Het was zijn beurt. Nu zou hij klappen krijgen, de slechtste leerling van de klas, maar dat had hij ervoor over. Pepe klemde zijn kaken opeen. In de toekomst zou hij hun eens wat laten zien. Hij was geen jongen zoals de andere jongens in het klooster. Een beschermheilige voor kinderen zonder vader, bestond die eigenlijk al?

'Zo, mijn zoon.' De overste stak zijn hand uit en Pepe drukte een kus op de ring. 'Dus jij bent nooit naar school geweest?'

'Nee, vader.'

'Je hebt niet leren lezen?'

'Nee, vader.'

'Wat doet je vader?'

'Mijn vader is dood, vader.'

'Zo. En bid je voor je vader?'

'Elke dag, vader.'

'Van pater Tiburcio hebben we gehoord dat je alles wat besproken wordt in de les uit je hoofd leert.'

'Ja, vader.'

'Daarom hebben we besloten dat broeder Esteban hier je gaat helpen.' De hand met de ring wuifde naar de gestalte aan de andere kant van de tafel. 'Elke dag ga je naar hem toe voor bijlessen, en hij zal ook het zingen voor de mis met je oefenen, begrepen?'

'Ja, vader.'

'God zegene je, mijn zoon. Je mag gaan.'

Pepe boog zich opnieuw over de hand, drukte zijn lippen zo lang als fatsoenlijk was op het zegel en voelde de duim van de overste op zijn voorhoofd branden. De kou was verdreven en Pepe vloog ervandoor. Javier had het mis: de overste was niet gek en niemand hoefde zich zorgen te maken. Pepe zou niet alleen leren lezen, hij mocht ook de mis leren zingen en veel meer dan dat. Hij danste, werd een berggeit die door de gang sprong terwijl de bel klonk voor het avondeten.

Bij de deur naar de kapel bleef hij staan. Juan zat daar, het lievelingetje van broeder Marcelino. De jongen drukte zich tegen de muur alsof hij schuilde voor de regen. Zijn hoofd tussen zijn armen.

Er was iets. Het spatte op Pepes huid als de druppels van een ijspegel.

'Kom, we moeten eten.' Hij zakte naast de jongen neer, trok aan zijn arm en veegde tranen weg zoals Fina zo vaak bij hem had gedaan. Hij probeerde een gekke bek, kraaide als een haan en prikte tussen Juans magere ribben waardoor er iets uit zijn broekzak op de plavuizen viel. Een bruin blok met ingekerfde lijnen.

Pepe sprong op. Chocolade? Niemand van de jongens hier kreeg chocola, en dan nog janken ook? Wat een aansteller. Hij gaf het blok een trap en rende ervandoor. Verwende flikker, zou Javier zeggen.

Niet alleen de overste was nu zijn vader in het klooster, ook broeder Esteban. De oude man had een boek met verhalen over een jongetje van hout, dat zo graag een echte jongen wilde worden. Er stonden tekeningen bij waardoor het lezen gemakkelijk werd. De pater werd nooit boos zoals broeder Tiburcio of de overste. Als Pepe rilde van het lange stilzitten in de kou, mocht hij op schoot. Dan keek de oude man hem aan met vochtige ogen, waardoor het opeens niet moeilijk was om te vertellen over de huurkamer in de stad, de honger, het wachten op zijn vader, de dorpsbewoners in Cezosu, wat ze over zijn moeder hadden gezegd, de mannen die naar haar keken en zijn angst dat ze misschien gelijk hadden. Het was fijn om dat tegen iemand te zeggen, alsof het niet zo erg meer was.

De broeder had Pepe bij de kin gepakt en gedwongen zijn hoofd te heffen. 'Misschien is het waar, mijn zoon, wat de mensen over haar zeggen. Een kat in het nauw maakt rare sprongen. Maar ze had de zorg voor zes kinderen zonder een cent te verdienen. Vergeet dat niet.'

De woorden hadden iets van zijn schouders weggenomen. Wat wist hij niet precies. Maar broeder Esteban knuffelde hem als een vader en zei dat hij trots op hem was, een jongen die net zo gemakkelijk leerde als zong. Zonder afschuw verwarmde de pater Pepes wrattenhanden tussen zijn knieën. Samen herschreven ze de gedichten die Pepe al die jaren had onthouden tot vloeiende teksten. Zijn cijfers schoten omhoog en Pepe verheugde zich op het kwaad waartegen hij mocht vechten als hij alle beproevingen had doorstaan.

Dan stak de bergwind op.
De takkenbossen gloeiden in het vuur,
rook sloeg naar binnen,
zat op je huid, kroop in je haar.

Je ging op klompen door de sneeuw,
groef paadjes naar het dorp.
Het witte land, de witte rook
die op je huid zat, in je haar.

Je telt de schubben van zijn muur.
Je schoenen wachten, glanzend.
Hij heeft de beker klaargezet,
de sinaasappel ligt op tafel.

Het witte land, de witte rook
die op je huid zat, in je haar.
De schubben van zijn muur.
Je telt. De voegen zijn als paadjes
om terug te lopen naar je huis.

21

'Doe je schoenen maar uit.'

Pepe rukte de bandjes los die hij elke ochtend oppoetste met spuug, en broeder Esteban wees naar het bed. 'Je bent toch niet bang, mijn zoon?'

Pepe schudde zijn hoofd. Nee, hij was niet bang. Het was niet de eerste keer dat de pater het aan hem vroeg, maar van deze beproeving werd hij telkens een beetje misselijk. Hij trok zijn trui uit, zijn broek, en ging voorover op de deken liggen. De broeders hadden andere dekens dan de jongens in de slaapzaal. Een sprei met haartjes als op de uier van een koe, wit en zacht. Eronder een wit laken.

De pater tilde hem op en schoof een kussen onder zijn buik. Zijn handen stroopten zijn onderbroek af en opnieuw drong die geur Pepes neus binnen, het zuur van oude melk waar hij maar niet aan kon wennen.

Broeder Esteban ging achter hem staan. Zijn pij was weg want Pepe voelde zijn prikkende huid. De pater zei dat hij het fijn vond als Pepe zong, dat het hem hielp terwijl hij vocht met de slang die hem verleidde tot het kwaad.

Pepe steunde op zijn ellebogen, zoog zijn borst vol lucht en liet het eerste couplet langzaam uit zijn mond ontsnappen. 'Hoe zou ik van U vluchten?' Zijn stem haperde door de bewegingen van de man achter hem, de klamme hand op zijn rug, maar hij ging door. Drie coupletten, twee regels van het vierde. Toen liet hij zijn hoofd zakken, klemde zijn kaken op elkaar. Hij moest het binnenhouden, zijn misselijkheid. Hij was geen aansteller, geen lievelingetje van wie dan ook.

Daar voor hem was de muur. Rijen schubben tussen donkere voegen, negentien, twintig... Pepe probeerde zich de klanken van zijn moeders stem te herinneren op kerstavond, het zingen van gekke Luis. Maar hun gezichten bleven vaag, over hun lippen kwam geen lied dat hem afleidde en hij kon geen gedicht bedenken dat hem vertelde hoe hij nu nog trots kon zijn op zichzelf.

Een hand in zijn nek. Een laatste stoot. Lauwwarm vocht spoot over zijn rug. Broeder Esteban had van de duivel gewonnen. De oude man bleef staan tot zijn ademhaling weer rustig werd. De pij viel terug toen hij naar achteren stapte. Een zachte doek veegde Pepes rug schoon. Toen tilde de broeder hem overeind en drukte een kus op zijn voorhoofd. Het was voorbij, maar het duurde even voor Pepes maag op zijn plaats terugzakte. Straks kreeg hij zoete wijn uit de beker, een sappige sinaasappel, en kon hij alles zeggen. Ook hoe moeilijk hij deze beproeving vond. Broeder Esteban luisterde, knikte en begreep alles.

∼

In het ziekenhuis trok Pepe me naar zich toe.

'Je moet niet huilen, cariño. Het is jaren geleden, dat weet je toch. Intussen hebben we alweer duizend keer gelachen.' Hij hield me vast tot ik rustiger werd. Een krachtige greep voor een doodzieke man. Toen liet hij zich achterover zakken, bleef mijn hand vasthouden en sloot zijn ogen.

'Ik hield van die man, Juanita.'

'Hou er maar over op.'

'Hij hield ook van mij.'

'De smeerlap.' Ik snoot mijn neus, stond op en zocht in zijn kast naar wasgoed. Bewegen, bezig blijven, water verversen, meer van dat soort onbenulligheden

'Hij was geen smeerlap. Zo heeft hij het nooit bedoeld. Dat is wat ik denk. Hoe moet ik het anders verklaren.' Pepe trok aan mijn vest, dwong me terug in de stoel naast zijn bed. 'De God die seksualiteit verbiedt, dat is de smeerlap.' Hij pakte mijn hand. 'Probeer het te begrijpen.'

'Geen zinnig mens zal zoiets begrijpen. Laat nou maar.'

Een verpleegkundige injecteerde iets, ze hield hem een spuugbakje voor, zei dat zijn misselijkheid niets was om zich zorgen over te maken, een bijverschijnsel, maar hij kokhalsde alleen. Ze haalde een natte washand langs zijn gezicht, gaf hem te drinken.

En ik zei het niet tegen haar, tegen deze vrouw met haar zachtblauwe ogen. Dat we het stadium waarin we ons zorgen moesten maken allang waren gepasseerd. Dat er alleen nog maar een stadium met eenzaamheid en verdriet in het voor-uitzicht lag, een chaos aan herinneringen, beelden die me op de nek waren gesprongen, zich vastzogen als bloedzuigers.

De zuster maande Pepe niet zoveel te praten. Toen schoof ze het gordijn als een afscheiding tussen hem en het bed van zijn buurman en liet ons alleen.

22

Mijn vader – nota bene mijn vader die nergens in geloofde –
kon voordragen alsof er een God was, een land na de dood,
een eeuwigheid bij de oceaan.

Er is geen troost nu Pepe weg is. Een paar dagen geleden
dacht ik dat hij hoestte – je wilt toch niets liever dan een boodschap, een teken vanuit de dood. Het kippenvel stond op mijn
armen, maar het was de oude elektrische luchtverfrisser die
nodig gevuld moest worden.

Je bent erin getrapt, zou mijn vader hebben gezegd. Als er
al een stem is die ik in mijn hoofd hoor naklinken, dan is het
die van hem. Hij werd een treurig lachende clown als mensen
hoopten op een weerzien in het hiernamaals, of in gebeurtenissen de hand van God zagen.

'De hand van de mens is de baas, cariño, op elk terrein.' Hij
haalde de oorlog erbij, zocht tussen zijn spotprenten naar
voorbeelden om zijn standpunt te verduidelijken. Het Legión
Cóndor: Duitse bommenwerpers die als onschuldige speel-
goedvliegers boven de dorpen van Noord-Spanje zweven, de
lijnen in handen van Hitler. Op een andere tekening: angst-
zwetende guardia's die maquis op een rijtje zetten om ze neer
te schieten, woorden als vrede en gerechtigheid op de loop
van hun geweer, de paus erboven die het tafereel met kwast
en wijwater zegent.

Ik haal het portret van mijn ouders van de muur en wikkel

de lijst in een handdoek. Ze zijn vlak na elkaar gestorven. Mijn moeder van ouderdom, mijn vader aan zijn hart. Twee jaar na mijn tante Soledad.

Wie ben ik om te twijfelen aan mijn vaders uitspraken. Het lijkt me duidelijk dat degene die het mes hanteert of de trekker overhaalt, niet op een weerzien hoopt, althans niet met zijn slachtoffer. Maar een geliefde, dat is verdorie andere koek.

Mijn mobiel gaat af, het nummer van de sjacheraar die mij en het kopen van mijn auto als zijn levensmissie is gaan zien. Ik druk hem weg. Dan pak ik meer in: een ingelijste foto van het theatergezelschap met José en David... De map met mijn vaders spotprenten, zijn bundels, essays. De schriften van Pepe. Het voelt goed dat ze alvast ingepakt zijn.

Misschien ben ik een dromer; erin getrapt zoals mijn vader zou zeggen. Maar wat zou het fijn zijn om Pepe weer op me af te zien lopen, gewoon over het paadje in de tuin, lachend en met gespreide armen een danspasje makend.

⤳

Veertien jaar na de oorlog werden we gevraagd om op te treden bij een grote boerenhoeve. Als bolle kussens lagen maïsvelden tegen de flanken van de heuvel, en de appelboomgaard stond vol in bloei. Een ooievaar had zijn nest gebouwd op een afgebroken boomtop. De boer betaalde ons optreden. De koeien graasden op de hoger gelegen zomerweide en hun geur had plaatsgemaakt voor die van warm brood en droog schaafsel. De mensen uit de omgeving brachten hun eigen stoel mee, en de kippen tokten alsof er een bescheiden mis zou worden opgevoerd.

Ondanks de ontvangst bij de boerin in de keuken, aan een tafel vol eten en gevulde karaffen, was de sfeer bedrukt. De genodigden leken stiller dan we gewend waren, en de boerin weigerde bij het optreden aanwezig te zijn. Haar gezicht was een geschuurd tafelblad en ze mompelde iets over al die mensen in huis, maar haar hoofddoek striemde haar kin alsof ze zichzelf ergens voor strafte.

We speelden een sainette waar maar lauw op werd gereageerd. Daarna zongen José en ik oude liederen uit de streek. We werden begeleid door onze halfblinde gitarist Elena en David op de tamboerijn, en het verbaasde me toen de boerin in een zijdeur verscheen. Had ze toch meegeluisterd?

Ze zocht mijn ogen terwijl ik zong, bleef daar staan, net over de drempel, ook na het laatste couplet. Waarom keek ze niet naar José? Ik had niets te geven, alleen mijn stem. De gedachten van mijn moeder, de lessen van mijn vader als hiëro-gliefen in mijn schedel.

'Waar verlangen mensen naar, Juani?'

'Naar antwoord en troost, papa.'

'Maar wat is de waarheid, cariño?'

'Er is geen troost, er is alleen leven dat overblijft.'

'Je vergeet iets. Denk na!'

Ik haalde geërgerd mijn schouders op.

'Het antwoord, kind! Vergeet dat niet. Het antwoord is een illusie.'

Op verzoek van de boer droeg mijn vader na ons optreden voor. Elena nam opnieuw plaats op een stoel voor het publiek. Ze speelde beter dan haar beroemde vader die al verschillende platen had gemaakt, en mijn moeder was er trots op dat ze met ons meereisde. Er klonk een verrassend zacht getokkel.

Toen kwam mijn vader op. Zijn gestalte nam onmiddellijk de ruimte in, de bronsspatten in zijn ogen, het leren gilet boven de geplooide broek. Hij kende de teksten uit zijn hoofd,

schilderde ze met een kalme, zachte stem, voorzichtig uitnodigend, als het eerste licht van de ochtend. Een opkomen-
de hand. Pas later volgde de uitdaging, de wanhoop, een
woede die hij met een verbazingwekkende zelfbeheersing
naar boven haalde, zijn armen geheven, geen berusting, zijn
voeten voor elkaar geplaatst alsof hij balanceerde op een denkbeeldige rand.

Hier zijn geen dorpen meer, geen huizen,
dit is het einde van het land.
De distels bijten in mijn huid.
De meeuwen met hun boze ogen,
ze roepen dat ik weg moet gaan.

Ik loop, al is er ook geen pad
en zijn de wolken oorlogsschepen
die binnendrijven uit het westen.
Het waait. De aanval is begonnen.
Het vuur zal in de mensen slaan.

En dan het klif. Het duizelt me.
Het grommen van de zee, het schuim.
Ik zie de richels waar ze broeden,
de meeuwen met hun boze ogen.
Ze roepen dat ik weg moet gaan.

Zo klinkt het liedje uit de dorpen:
'De witte vogels eten vlees,
ze pikken hart en ogen uit,
ze bouwen nesten van je haar.
Ach trieste jongen, droevig meisje,
verboden liefde trekt naar zee,

want daar begint de eeuwigheid –
op rotsen bij de oceaan.'

Voorbij het einde van het land,
de distels en de boze ogen,
daar is een stilte, lichtblauw, deinend,
daar woon je, en geen mens of meeuw
zal ooit nog roepen dat je weg moet gaan.

Toen hij was uitgesproken, trok de boerin langzaam de knoop van haar hoofddoek los.

De boer schraapte zijn keel. Hun ogen zochten elkaar over de hoofden van de toeschouwers heen. De bedrukte sfeer gleed de stal uit. Er werd geklapt en pas later hoorden we dat er een zoon was geweest. Een boerenjongen die verliefd was geworden op de dochter van een rijke landeigenaar. Het werd hun verboden met elkaar om te gaan en samen kozen ze voor de dood.

Na dat optreden veranderde er veel. Berichten reisden voor ons uit, pregoneros verspreidden verhalen vol beloftes. Er kwamen meerdere uitnodigingen om op te treden voor geld, en er werd geïnvesteerd in toneelkleding en rekwisieten. Als we in een stad waren, gingen we naar de bioscoop. Mijn vader kocht een grammofoon waar hij platen op draaide zodat de mensen na afloop van de voorstelling konden dansen. Mijn moeder nam nog meer acteurs aan en liet kleding naaien naar de laatste mode. Ze stuurde ons naar de kapper en beweerde dat er geen beter visitekaartje was dan een gedurfd uiterlijk. 'Geef de mensen wat ze zelf niet in huis hebben.' Mijn haren werden kortgeknipt en rozerood geverfd. Ik droeg strakke jurken en hoge hakken. Zelfs jongens en meisjes van mijn leeftijd kwamen naar het theater om na afloop te kunnen dansen.

Ook mijn tante Soledad moest eraan geloven. Ze prevelde tegen niemand in het bijzonder dat de zonde het gezelschap binnen was geslopen. Tot afgrijzen van mijn vader zakte ze meerdere malen per dag op haar knieën om te bidden. Bij het volgende dorp haalde ze een muntenkapelletje bij de pater waarmee ze wankelend op haar hakken langs de toeschouwers ging om geld op te halen. Mijn vader keek alsof ze niet goed snik was, maar mijn moeder verbood hem er iets van te zeggen. Ze was gewend aan de religieuze levenswijze van haar zus en richtte haar aandacht op een populair hoorspel op de radio, *Ama Rosa*, dat ze bewerkte tot een versie voor toneel. Het stuk bleek populairder dan los del cine, de reizende bioscoop. En ik weet niet waarom ik het irritant vond, maar opnieuw lukte het haar om een heel theatergezelschap te voorzien van werk, eten en onderdak.

23

'Wil je iets voor me zingen?'

'Nee.'

'Waarom niet?'

'Ik kijk wel uit. Er liggen hier nog meer mensen, weet je wel.'

'Die zullen het prachtig vinden.'

'Ik denk van niet.'

'Doe het dan voor mij. Zachtjes. Ik ga dood, weet je nog.'

'God, wat ben je zielig.'

'Doe het nou maar.'

⌒

Broeder Esteban zei dat het ware liefde was, Pepes hulp bij zijn worsteling met de duivel. Een liefde die niet snel begrepen zou worden.

'Mensen zijn niet bereid om zichzelf voor een ander op te offeren.' Hij schudde zijn hoofd. Zijn benige vingers kneedden de kralen van zijn rozenkrans, en Pepe wist dat de pater gelijk had. Ook Santiago had zijn leven gegeven, en met hem zijn leerlingen Athanasius en Theodorus. Een offer vroeg nu eenmaal iets van je. Hoe moeilijk het ook was. *Magistrum metue*, vrees je leermeester! Als het offer pijn deed, bedwong Pepe de neiging om op te springen en weg te rennen. Juist het stil blijven liggen was de beproeving, de ware liefde. Pijn kon je afleiden met een andere pijn: zijn tanden in de muis van zijn hand of zijn vuisten trekkend aan zijn haar. Maar erger dan de pijn was de schaamte. Pepe durfde niet te kijken. Pas als de pij terugviel, kon hij zijn schouders laten zakken en weer ademhalen.

'Het is niets om je voor te schamen, mijn zoon.' Broeder Esteban liet de rozenkrans in zijn schoot vallen toen Pepe het hem toevertrouwde. 'We kunnen er alleen beter niet over praten. De meeste mensen zullen het niet begrijpen. Zelfs onze overste niet.' Een zachte stem. '*Amor vincit omnia*.' Hij trok Pepe naar zich toe en drukte een kus op zijn voorhoofd.

Toen vertelde hij over vroeger, de jongen die hij was, geslagen en gepest, zijn liefdeloze ouders en de eenzaamheid, die verdween toen hij naar het klooster mocht. Hij was blij met zijn liefde voor God en de broeders. En nu, na zo veel jaren, mocht hij een klein opdondertje helpen om zijn weg te vinden, een jongen op wie hij ontzettend trots was. Zijn ogen werden vochtig terwijl hij in Pepes wang kneep.

'Ik zal niet zo lang leven als jij. Maar denk aan het verhaal van David en Jonathan, Pepin.'

'Ja, vader.'

'Je weet hoe de ziel van Jonathan verknocht was aan David, en dat ze een grote blijvende liefde voor elkaar voelden, hun leven lang.'

Pepe knikte.

'Luister, mijn kleine strijder. Zoals Jonathan zijn koningsmantel aan David schonk en zijn zwaard en gordel aan hem overdroeg, zo zal alles wat mij toebehoort voor jou zijn. Ook na mijn dood zal ik je helpen om de oorlogen des Heren te voeren, grandioze overwinningen te behalen op Satan, en de mensen te vangen met je woorden.'

Broeder Esteban haalde een stuk chocolade tevoorschijn dat smaakte naar korrelig zand, en Pepe pakte het aan met trillende handen, zuchtte diep. Dat stuk chocolade, of een sappige sinaasappel, daar deed hij het niet voor. Hij was geen lievelingetje. Nee, hij barstte zo ongeveer van geluk: hij was een strijder en had een vader die hem nooit in de steek zou laten.

⌐

'Kom, opschieten.' Javier rende voor Pepe uit de gang door. Zijn vriend sloop langs de kamer van de overste en wandelde vervolgens op zijn gemak door de kapel tot achter het altaar, waar ze helemaal niet mochten komen. Het leek hem niets te kunnen schelen.

Pepe keek op naar de bloedende man aan het hout. Een hangend hoofd tussen gespreide armen, een reep stof rond het lichaamsdeel dat hij verafschuwde. Stel je voor dat het beeld nog leefde, voor Judas speelde en hen verraadde. Misschien werden ze dan wel weggestuurd. Javier zou het niet erg vinden, maar Pepe? Hij woonde hier al bijna twee jaar. Snel sloeg hij een kruis.

Zijn vriend liep zonder aarzelen op zijn doel af: een lage deur achter het altaar met knoesten als koeienogen. Javier greep naar de ring en duwde met zijn hele gewicht tegen het hout. Meteen was daar een trap, een zwak licht dat van bovenaf over de brokken steen gleed. Een lucht als in een grot, dik van schimmels.

Javier rende joelend de trap op. Het geluid leek voor hem uit te rollen, een trap die eindeloos doorliep naar de overste die hen daar opwachtte en onmiddellijk te grazen zou nemen. Waarom had hij beloofd mee te gaan? Waar was Ricardo?

Pepe sloop de eerste treden op. Hij zocht steun bij de muur, trok snel zijn hand terug en wreef het steengruis af aan zijn broek. Hij haatte alles wat plakte.

Rustig omhoog nu, op elke knie een hand. Javier zou heus wel weten wat hij deed.

Zijn vriend wachtte hem op bij een nis. Een venster vol daglicht. Hij trok Pepe naast zich voor het raam en wees door de ruiten in lood.

'Kijk: meiden! We zijn precies op tijd.'

Pepe kneep zijn ogen een beetje dicht tegen het felle licht. Beneden was een tuin met fruitbomen. Sint Jozef stond er op een hoge sokkel, een naakt kind op zijn arm. Ernaast vrouwen in zwarte jurken: jonge en oude nonnen. Ze droegen witte doeken rond hun gezicht. Twee van hen draaiden een springtouw. Een meisje uit de rij nam een aanloop, sprong de cirkel in, een tweede en derde. Ze trokken hun rokken op tot boven hun knieën en keken alsof ze aan een spel meededen waar ze absoluut geen zin in hadden.

Was dit het wat Javier hem wilde laten zien? Een paar meiden en voor de rest oude nonnen die stom genoeg waren om een kinderachtig spelletje te spelen?

'Kom.' Pepe draaide zich om en sprong de treden op, verder omhoog. Zijn nieuwsgierigheid won het van zijn angst. 'Kijken wat daarboven is.'

Maar Javier bleef staan, zijn voorhoofd tegen het glas gedrukt.

'Nonnen,' zei hij en hij schraapte zijn keel. 'Zouden die ook weleens een pik tussen hun billen krijgen?'

Wat? Wat mompelde Javier daar?

Langzaam zakte Pepe de treden af tot hij weer naast zijn vriend stond.

'Je weet wel, een plasser, daar.' Javier wees achter zijn rug terwijl zijn lip met het litteken trok.

Pepe tuurde strak naar de gedaantes in de tuin. Alles beter dan Javier die zoiets vreemds had gezegd. Vrouwen, meisjes van Fina's leeftijd, bomen vol vale sinaasappels alsof ze zich schaamden voor hun kleur. Het weeë gevoel in zijn maag moest weg. Hij zuchtte, voelde de ogen van zijn vriend, maar durfde hem toch niet aan te kijken. Was hij niet de enige?

Javier wreef met zijn vuist de ruitjes schoon. Zijn verlegenheid was weg. 'Raar hè, ouwe wijven die touwtjespringen.' Hij schaterde, wees opnieuw, sloeg zich op zijn knie alsof hij zich suf lachte. 'Maar die meiden zijn leuk, of niet soms?'

'Heb jij ook...?' Pepe durfde de woorden niet uit te spreken. 'Heb jij ook bijles gehad?'

Javiers lachbui was van korte duur. Hij krabde zich. 'Nee, hoezo?'

'De slang... het gevecht met de duivel?' Pepe hakkelde.

'Een slang, de duivel? Waar heb je het over?' Javier haalde zijn neus op in zijn handpalm. 'Kom, we gaan terug. Ik heb geen zin in klappen van die ouwe gek.' Hij draaide zich om naar de trap en wilde de treden af springen. Maar Pepe greep hem vast, schroefde zijn vingers in Javiers bovenarm. Flarden van zinnen flitsten door zijn hoofd, ...*en Hij maakte mij tot een puntige pijl in zijn pijlkoker*... een dwingende hand om zijn kin, ...*en Hij maakte jouw mond als een scherp zwaard*. Teksten die broeder Esteban uitsprak als hij wilde dat Pepe de slang in zijn mond nam. En nu? Hij wilde niet meer de enige zijn die het gif had geproefd en het uit zijn haar moest wassen, hij dwong Javier stil te staan. Hij moest het weten! Als zijn vriend het aankon, was het voor Pepe ook vol te houden.

'Een plasser.' Hij wees naar zijn billen. 'Heb jij...?'

Javier keek naar de grond. Ruw schokkend haalde hij zijn schouders op. Een grinnik. Toen veegde hij opnieuw zijn neus af, nu aan zijn mouw, en knikte kort.

Er klonk een droge snik. Een warme vlaag sloeg door Pepes lijf. Hij trok Javier naar zich toe. Dit was zijn vriend: een martelaar, uitverkoren net als hij, ook al wilde Javier daar niets van weten.

Met de armen om elkaars schouders liepen ze de trap af. Hun huid schaafde bij elke tree langs de muur en het gruis plakte aan Pepes arm, maar het gaf niet. Pas in de kapel lieten ze elkaar snel los. Ze waren geen meisjes, geen flikkers. Ze waren helden en renden als gekken naar de eetzaal.

24

Ik weet niet van wie hij het had afgekeken, maar op een dag boorde Pepe gaatjes in oude kop en schotels en hing het serviesgoed als porseleinen vruchten in de boom in het midden van de tuin. Zoals Gaudí zijn goddelijke inspiratie liet zien met de zonnen aan het plafond van Sala Hipostila, zo legde Pepe van al zijn gele scherven rond de stam een gouden zon. Het was zijn laatste project.

Mijn vriendin Visi komt langs. Ze heeft een cake gebakken. Ze vouwt de aluminiumfolie open, haalt een mes uit de keukenla en snijdt twee plakken af. Als ze die op schoteltjes heeft gelegd, vouwt ze de folie weer dicht en legt de cake in de broodtrommel. Ze struikelt bijna over de koelbox. Dan kijkt ze naar de thermosfles op het aanrecht, het plastic bestek, en vraagt of ik ben begonnen aan de schoonmaak van de kelderkast.

We drinken koffie op de bank tegen het huis. Visi houdt haar jas aan. Ze vertelt dat ze bij de dokter is geweest, dat eindelijk duidelijk is waarom ze zo moeilijk in slaap valt. Ze mist een stofje in haar lichaam – dat is nu vastgesteld. Als ze uiteindelijk slaapt, droomt ze over vroeger. We lachen erom, halen herinneringen op, onze eerste ontmoeting als meisjes in Spanje, het toeval dat we elkaar in Nederland terugzagen, mijn werk bij de Hoogovens en haar werk bij de vrouwenvakbond. Als ze weggaat, blijf ik haar nakijken tot ze de hal binnengaat van de flat aan de overkant van de straat en door het glazen trappenhuis naar de derde verdieping klimt, na elke verdieping trager. Rechtop lopen, meid, fluister ik. Rechtop!

Het wordt al vroeg donker. Mijn bed stinkt ook met het raam open. Ik droom net als Visi, wanneer haar vermoeide lichaam het toestaat om in slaap te vallen. In mijn droom plant ik de porseleinboom met wortel en al in de achterbak. Ik sjor de stam met een band vast aan de oude imperiaal, bedek de wortels met natte dekens en wikkel elke kop en schotel afzonderlijk in bubbeltjesplastic. Dan ben ik klaar voor vertrek. Ik rijd rustig, ga met een slakkengang over drempels en mijd de snelweg. Ik heb cake in aluminiumfolie en een thermoskan koffie, en er is niemand die opkijkt van een oude dame in een Toyota met een boom in haar achterbak.

⌁

Zestien jaar na de oorlog had ik geen lappenbollen meer nodig om groot te lijken. Toch werd ik op het schaakbord van mijn leven bewaakt door vier wachtlopers: mijn vader, mijn moeder, mijn tante Soledad en Lola. Dansen na de voorstelling was toegestaan, dat wel, maar 's avonds de zaal verlaten gebeurde niet zonder toezicht.

Het viel me opeens zwaar, hoe mijn moeder zich met mijn leven bemoeide. 'Loop rechtop, cariño. Lávate la patata!' Ze besliste over mijn kleding, mijn haar, de mensen met wie ik omging en het merendeel van mijn gedachten. Ik was haar bezit, en dat ergerde me meer dan het feit dat mijn vader vreemde vrouwen verleidde. Die vrouwen konden in ieder geval hun gang gaan.

Tijdens een optreden in Bilbao kwam er een dirigent naar me luisteren, de oud-directeur van een conservatorium. Het was ongebruikelijk dat zo'n vooraanstaande man zich vertoonde bij een theatergezelschap als het onze. Hij droeg een fijngesneden kostuum, ging op de eerste rij zitten en luisterde zonder zijn ogen van me af te wenden naar de oude liederen die we na de voorstelling ten gehore brachten. Ik zong zoals ik gewend was en zag de verrassing op zijn gezicht. Na afloop bood hij me een plaats aan bij het Conservatorio Superior de Música, en voorspelde me een mooie zangcarrière.

Ik weet nog dat er buiten een harde hete wind stond, dat er ergens in het theater iets klapperde en dat mijn hele lijf gloeide van blijdschap.

Was het de manier waarop José naar mijn moeder keek? De houding van mijn vader, het geschuifel van zijn voeten?

De directeur dacht dat het beklonken was, dat niemand zo'n aanbod zou weigeren. Hij nam een glas wijn en wendde zich tot de burgemeester, de notaris, de dokter, hoofdrolspelers in een dorp die de macht van een diva onderschatten.

Daar stond ze, haar armen trots gevouwen voor haar borst, luisterend naar de lovende woorden van de directeur, maar haar scherpe neus werd de snavel van een roofvogel, zich vastbijtend in eigen vlees. Ik zou de opleiding in Valencia moeten volgen en mijn ouders voor een lange periode niet kunnen zien. Een onmogelijke gedachte voor mijn moeder, nog geen dag was ze zonder mij geweest. Mijn vader schaarde zich achter haar. Een zwijgende gestalte die me alles had geleerd wat een kind behoorde te weten, maar geen schijn van kans maakte als mijn moeder haar zin doordreef.

Ik jankte, schopte een stoel omver en wist in mijn teleurstelling niet meer wat spel was of echt. Was ik niet altijd meegaand geweest? Had ik me ooit in de nesten gewerkt?

Mijn stem liet me in de steek en dat was niet gespeeld. Een week lang was optreden onmogelijk. Het pad dat ik zo graag wilde betreden, werd me verboden, ondanks de smeekbedes van José Obiols. Het was de eerste keer dat ik hem echt kwaad zag worden. Wat als ik een jongen was geweest, vroeg hij aan mijn moeder. Hij hief zijn handen: 'Een jongen, Asunción, of jijzelf...'

Maar ze was onverbiddelijk.

Nog voor de volgende ochtend begon, werd ik wakker. Het klokje op de kast stond met de rug naar me toegekeerd, en in het bed naast me ademde mijn moeder diep en regelmatig. Het maanlicht bescheen haar gelaat, de kaaklijn boven de blanke hals en schouders, de contouren van haar lichaam onder het laken.

Ik stond op, zocht een andere plaats om te slapen. Spijt is een zeurend kind, de een neemt het op schoot en de ander stuurt het naar buiten. Als we al een goed leven hadden met het theatergezelschap in die grauwe tijd waarin zo veel mensen in armoede leefden, werd het nog beter. We verdienden geld, sliepen in pensions met warme kachels, aten dagelijks vis of vlees, en alle acteurs kregen betaald. Mijn vader gedroeg zich verwender dan ooit, en mijn moeder ging in de meest comfortabele stoel zitten die voorhanden was. Ze sloeg haar sterke lange benen over elkaar en beweerde dat er voor mij andere dromen zouden uitkomen, een carrière die de vorige op afstand zette. En ik hoopte, smeekte de God van mijn moeder dat het waar was.

25

De kou in het klooster bleef. Er waren dagen dat Pepe de slang alleen hoefde vast te houden, de stof van de pij er nog omheen. Dat waren de fijnste dagen. Dan gingen ze oefenen met zingen, de mis, de viering van de eucharistie. Pepe mocht voorzingen met de overste, en zelfs Javier was jaloers.

Zijn lange vriend leek met andere ogen naar hem te kijken. Hij zei er niet veel over, alleen dat het niet normaal was hoe hard Pepe zich waste, hoe hij het vel van zijn lijf schrobde, maar Pepe twijfelde niet.

In de kloosterkapel hoefde Pepe niet meer te fantaseren dat er een koor van jongens met hem meezong. Hij stond tussen hen in en keek opzij naar Javier. Zijn vriend knipoogde naar hem. Zijn stem sloeg over, en als het erger werd zou hij bij de oudere jonge-broeders moeten gaan staan. Ricardo bewoog zijn roze lippen alsof hij volop meezong, maar Pepe wist dat hij nauwelijks geluid maakte. Als engel zou hij nog geen meter vliegen, de luie big.

Pepe haalde diep adem, hield vast, liet de lucht toen bij beetjes ontsnappen. Een oefening die hij had geleerd van broeder Esteban om zijn longen te laten wennen aan de lange noten die hij straks moest volhouden.

De overste hief zijn hand en Pepe zette in, liet de toon aanzwellen. Hij was op de bergwei waar de klanken almaar hoger klommen, door luchtlagen zo dun en ijl dat hij nauwelijks nog adem kreeg. Het huis in de bergen was niet meer van hem, zijn moeder, broers en zussen. Hij woonde nu hier, in dit klooster, bij broeders en jongens, Ricardo en vooral bij Javier, zijn lange vriend die ook uitverkoren was. Hun stilte drong tot hem door, het aandachtig luisteren toen hij de boomgrens naderde, vlaktes op rende, de eerste sneeuw in. De laatste regels van het tweede deel. De bariton van de overste nam het moeiteloos van hem over. De hoge stemmen van de jongens vielen in, de bassen van de ouderen. Dit was wat hij wilde. De hemel. Hier blijven. Een spijker door beide wreven, hamerslagen als offer, pijn en boete.

Hij keek naar zijn vader op de voorste rij, zag de tranen van trots in zijn ogen. Niet alleen het lezen en zingen, alles had de oude man hem geleerd.

Even klonk het koor boos, woedend, toen zwakten de stemmen af naar een vibrerend fluistergezang, het opspatten van regendruppels op kurkdroog zand.

Et expecto resurrectionem mortuorum, et vitam venturi saeculi. Ik verwacht de opstanding van de doden en het leven van het komend rijk. Amen.

26

Soms ben ik bang dat mijn geest me in de steek zal laten. Ik kan voor het eerst sinds het overlijden van Pepe niet slapen als ik bedenk dat ik alleen nog maar stomweg rondjes loop terwijl mijn huis een puinhoop wordt. Een chaos waar ze een televisieploeg op afsturen om te filmen hoe ik de weg ben kwijtgeraakt.

Een presentatrice als een jonge, oogverblindende moeder Teresa zal bij me aanbellen. Ze zal me helpen de rotzooi op te ruimen en vertellen hoe ik opnieuw de draad van mijn leven op moet pakken na het verlies van mijn echtgenoot. De camera zal mijn bed laten zien met vuile lakens en daarna met schone. De badkamer zal aan de beurt komen met flesjes van Pepe, zijn gerafelde badjas, de bult met was, en dan zo'n plaatje uit de gids van Ikea. Het team van stylisten zal de koffer uitpakken en de fotolijsten weer aan de muren hangen. Anders dit keer, hipper, en in de ogen van de presentatrice zullen tranen staan als ze me aan het einde van de uitzending omhelst en zegt dat nu alles goed komt.

De volgende dag steek ik de straat over, beklim het trappenhuis naar de flat van Visi. Maar als ik aanbel blijft de deur gesloten. Pas na een paar minuten dringt het tot me door: ze is op vakantie naar familie in Spanje en dat was ik even vergeten.

Ik trek mijn schouders naar achteren, loop met rechte rug terug. Trots blijven. Een herfstzon, een bries vol geuren. In onze voortuin strijkt de poes van de buurvrouw langs mijn been, en het kopjes geven doet me goed. Ik mis Pepes aanrakingen. De pijn slaat door mijn lijf als ik denk aan zijn handen die niet ophielden met verkennen. Zelfs niet toen mijn huid voorgoed begon te zwerven. Thuis val ik midden op de dag op de bank in slaap.

~

Sinds het bezoek van de dirigent aan ons gezelschap kon ik mijn ogen niet sluiten om te ontsnappen aan mijn leven, zoals ook geen spiegel nog iets anders liet zien dan mezelf. Elke ochtend opnieuw stroomde het ochtendlicht als lauwe pap over me heen. De andere artiesten besteedden zorg aan hun uiterlijk en verheugden zich op een optreden, terwijl ik met tegenzin de kam door mijn haren haalde. Het water in de lampetkan was oud, en de geur van zeep maakte me misselijk. De huisjes achter de pensions waren zo stinkend smerig dat ik mijn toevlucht zocht in de weilanden buiten het dorp of tussen de kippen plaste.

Toen ik door een orkestleider werd uitgenodigd als gastzangeres, liet ik José een brief afgeven waarin stond dat ik hun uitnodiging wegens omstandigheden moest afwijzen. José was het er niet mee eens, ook al was het een orkest van de Guardia Civil, maar ik was niet in staat om hem een redelijke uitleg te geven: er was verder niets schokkends gebeurd, er was niemand onthoofd of doodgeschoten. We sliepen niet meer in verlaten huizen en kwamen geen verraders tegen die gedood moesten worden en toch verlangde ik daarnaar. Naar iets wat zo pijnlijk en hartverscheurend was dat mijn wereld zou instorten en ik mezelf zou vergeten. Zelfs toen José in een sidrería tegenover het pension waar we verbleven opbiechtte een vrouw en een kind te hebben naar wie hij al zijn geld stuurde, staarde ik afwezig door het raam naar buiten.

Een man stapelde houten kooien vol ciderflessen. Hij slingerde ze met een hand door de lucht, schudde de stapel waardoor de kratten als vanzelf in elkaar grepen. Met zijn schouder stootte hij het wankelende geheel tegen de muur. Een tweede toren volgde. Een derde.

En ik kreeg het voor elkaar, de tranen van medeleven, mijn hand die over de tafel die van José vond. Begripvol zoals het hoort, vrienden onder elkaar. Een fraai toneelstukje. Maar dit keer kon ik het slecht verdragen. Met een smoes vluchtte ik naar het pension aan de overkant, mijn bed, de enige ruimte die nog van mezelf leek te zijn, en dacht aan de man van de kratten, vroeg me af of ik nog in staat was iets te voelen als zijn knuisten me vastgrepen en zijn lichaam me ruw tegen de muur zou stoten.

Na een vermoeiende voorstelling voor een muur van zwijgzame stadsmensen, kwam mijn moeder in de kleedruimte naar me toe. Ze zag ongewoon wit en sloeg haar omslagdoek om mijn schouders.

'Het spijt me, Juani, meisje, kom op. Zo erg is het toch niet?'

'Waar heb je het over?'

'Laatst... die directeur van het conservatorium.'

'O, die.' Ik haalde mijn schouders op. 'Was ik alweer vergeten.'

'Goed, meid.' Ze slikte, lachte. 'Dat dacht ik wel. Je bent een nuchtere meid. Je weet hoe dat gaat.' Toen boog ze zich naar me toe, drukte een kus op mijn haar. 'Ik heb een verrassing voor je.'

Ik zweeg.

'Wil je geen verrassing?'

'Wat is het dan?'

'Ik heb de orkestleider gebeld. Ik heb gezegd dat je spijt hebt van je brief. Dat is toch waar, Juani, je hebt toch spijt van die brief? Zeg eens eerlijk. Je vindt het toch heerlijk om te zingen, cariño?' Ze pakte mijn hand. De gesteven kraag van haar toneeljurk schuurde langs mijn wang. 'Bovendien breng je ons in gevaar. Als je weigert kunnen ze denken dat onze politieke ideeën eraan ten grondslag liggen. De orkestleider heeft je vervanger afgezegd. Hij heeft zelfs nieuwe aanplakbiljetten laten maken en morgen beginnen de repetities. Wat vind je ervan? Fantastisch toch?' Ze lachte trots, trok José naast zich die een poging deed om enthousiaste gebaren te maken en wanhopig met zijn armen wiekte. 'Je gaat het maken, niña. Je wordt beroemd. Let op mijn woorden. Straks word je overal gevraagd als de nieuwe Sara Montiel.'

Keek ik naar een gek? Was die idiote vrouw met haar pruik op haar hoofd en de schmink nog in haar wenkbrauwen mijn moeder?

Ik trok me los, draaide me om en liep weg terwijl ze mijn naam zei. Niet Juani, cariño of mi niña. Ze zei: 'Juanita.' Voluit.

27

'Kijk me aan als ik tegen je praat.'

Pepe richtte zijn blik naar de overste in de stoel voor hem en dacht te weten waarom hij bij hem was geroepen: hij kreeg bezoek. Zijn moeder stond in de gang te wachten en hij had tranen in zijn ogen gekregen van blijdschap. Hoelang was het geleden dat ze hem hier had achtergelaten? Ze leek jonger na al die tijd, als de engel op het drieluik achter het altaar, geschaafd hout in fijne lijntjes gegutst. Geen afgedragen kleren, maar een jurk die geld moest hebben gekost. Schoenen met hakken. Bijna even groot leken ze nu, en zelfs zijn wratten waren verdwenen.

De overste schoof naar voren in zijn stoel. Hij deed een greep naar de karaf en zette de tuit tegen zijn lippen. Vier slokken telde Pepe mee met de adamsappel. Toen veegde de priester zijn lippen af aan zijn mouw, liet de karaf naast zijn stoelpoot vallen en stond op. Zijn hoofd kantelde, alsof hij zich richtte naar een persoon ergens achter Pepe, iemand aan wie hij iets had uit te leggen.

'We hebben er alles aan gedaan...' Hij sprak alsof hij de wijn nog niet had doorgeslikt, 'bijlessen, zanglessen.' Zijn schouders schokten. 'Drie jaar lang, en dan dit.' Hij schudde zijn hoofd, deed wankelend een stap naar voren. Zijn hand wuifde richting Pepe, balde zich toen tot een vuist die los leek te komen van zijn lichaam, dat grote vlezige lijf als van de almachtige God.

Pepe knipperde met zijn ogen. Santiago was terug. Zijn verschijning schudde iets in hem wakker. Hij rechtte zijn rug. Dit moest een vergissing zijn van de overste. Pepe was de solist in zijn koor, de beste leerling van de klas, de enige die nooit klappen had gehad.

Het lichtje onder de stolp flikkerde. Misschien kon de overste hem niet goed zien bij het zwakke lampje en dacht hij een van de andere jongens voor zich te hebben.

Pepe deed een stap naar voren.

Een stoot sloeg hem tegen de plavuizen. Een pijnlijk bonken waar zijn kop het steen had geraakt. Snel krabbelde hij overeind. Niks aan de hand. Hij zou het uitleggen, nu meteen.

Opnieuw ging hij tegen de grond. Even was hij alles kwijt, de vloer, zijn benen, een boven en onder. Hij probeerde de schoenen van de overste in zijn gezichtsveld te houden, stelde scherp op glanzend leer, een wit stiksel dat flitste en pijn deed aan zijn ogen. Je moest geld hebben om zulke schoenen te kunnen betalen.

Een vuist greep zich vast in de stof op zijn borst, trok hem half overeind en de waarschuwing van Javier schoot hem te binnen: als je je slap houdt, vindt-ie er niks meer aan en schopt hij je zo naar de gang.

Pepe liet zijn armen hangen, deed alsof hij geen pijn voelde, geen lucht nodig had die naar binnen wilde. Een sterke dranklucht drong zich op uit de mond boven hem, tanden die bijna nergens meer wit waren, de pij die bij elke broeder hetzelfde rook.

In een flits zag hij het moment weer voor zich: de gestalte van de overste die de kamer van broeder Esteban binnenkwam, de verbijstering op zijn gezicht om hen daar zo te zien, Pepe op het bed en de oude man achter hem. Op dat moment had Pepe het zeker geweten: de overste begreep niet wat ware liefde was, zoals broeder Esteban had gezegd. Een man van God was hij, een priester, maar geen held, geen martelaar zoals hij of Javier.

Pepes hoofd bonkte pijnlijk. De vuist schudde hem als een bos nat stro. 'Je bent het niet waard hier te zijn. Castreren moeten ze je, hoor je, dat vlees eraf, de duivel.'

Het licht in de kamer werd een doffe schemer. Pepe vergat Javiers raad. Hij rukte zich los, hervond zijn evenwicht, stampte met zijn voeten.

'Het is niet waar! Ik hoor hier.' Hij greep de hand van de wankelende reus voor hem. 'Ik kan mezelf opofferen. Ik zal een beschermheilige worden voor alle kinderen zonder vader. Geloof me, vader, geloof me.' Snikkend drukte hij zijn lippen op de ring. De overste moest zijn vergissing inzien, hij moest het begrijpen.

Een hand vond Pepes hoofd, vingers kroelden door zijn haar en de opluchting vlamde door zijn buik. De man die van hen allen het dichtst bij God stond had hem begrepen. Nu kwam alles toch nog goed.

De overste keek op hem neer en opeens besefte Pepe dat er nog nooit zo naar hem was gekeken. Zo staarden mensen naar gekke Luis, vol afschuw, zo dus, en er was niets wat hen van gedachten kon laten veranderen.

'Weg jij.' De hand smeet hem opzij. 'Mijn zoon zul je nooit worden. Hoor je wat ik zeg? Nooit.'

28

Een kaartje bij de post. Een bod van de man die de Toyota wil kopen. Een kussend boertje en boerinnetje op de voorkant, god o god, een aanzienlijk hoger bedrag op de achterkant, vet onderstreept. Alsof dat me over de streep zal trekken. Een uitdrukking die me opeens aan iets heel anders doet denken. Een televisieprogramma waarin schoolkinderen op klapstoelen in gymzalen elkaar hun narigheden opbiechten. Een Amerikaanse presentatrice met de stem van een sekteleider. *Als je me echt zou kennen, zou je moeten weten dat ik...*

Ik bel het nummer van de sjacheraar, spreek in na de piep. 'Als u me echt zou kennen, meneer, als u echt goed had geluisterd, dan zou u moeten weten dat geen enkel bod zin heeft. Doe vooral geen moeite meer.' Dan stuur ik een berichtje naar een kennis van Pepe die me overviel met de opmerking dat hij Pepes gereedschap wel kon gebruiken: Als je me echt zou kennen, Hans, dan zou je moeten weten dat ik dat gereedschap zelf ook nog goed kan gebruiken.

Niet veel later spreek ik een bericht in op Pepes mobiel: Niemand kende mij beter dan jij, mijn lieve Pepe, beter nog dan ik mezelf ken. Hield je ook daarom al die jaren je mond?

Geen antwoord. Van alle drie niet.

Je zou denken dat ik het niet ging doen, dat ik de genen van mijn moeder had geërfd, de moed van mijn vader, dat ik karakter had en het voorbeeld zou volgen van artiesten, schrijvers en dichters die in de oorlog voor hun principes stonden, aan welke kant dan ook.

Ik viel mezelf alleen maar tegen. Ik liet het gebeuren en ging naar de repetitie van het orkest. Mijn moeder trok aan de touwtjes en de hele poppenkast kwam tot leven.

Mijn vader reisde naar de stad voor zijde en tule. Mijn tante Soledad naaide de jurk en versierde de stof met pailletten. Mijn moeder leende me haar parels en stuurde me naar een kapper om mijn haren weer eens in een andere kleur te laten verven. José liet me honderden keren de trap op lopen met een rechte rug, borst vooruit. 'Al die lekkere kerels, pop.' Lola tekende mijn ogen zoals bij de actrice in de film die we hadden gezien. David schonk onafgebroken thee met rozemarijnhoning. De dirigent gaf me al zijn aandacht en de musici volgden mijn stem naadloos.

Mijn moeder deed waar ze haar hele leven al van droomde. Ook al zou ik optreden voor verraders, moordenaars en hun slachtoffers tegelijk, het moest volmaakt zijn en het was volmaakt. Er werden foto's gemaakt door een dure fotograaf. Ze werden adembenemend, maar ik lachte niet. Zelfs niet na de uitvoering, toen de mensen in de zaal gingen staan en waanzinnig lang bleven klappen. Hoe perfect alles ook was en hoe vaak ik daarna ook werd gevraagd om op te treden, ik viel mezelf alleen maar tegen.

Santander. Geen zon. Groen uitgeslagen uithangborden. Straten vernoemd naar hoge generaals, het ruiterstandbeeld van el Generalísimo op het plein. Man en paard torenden hoog boven ons uit en we liepen erlangs met afgewend hoofd,

José minachtend fluitend en ik somber zwijgend.

Op het platteland zou hij me naar zich toe hebben getrokken, me hebben gedwongen met hem te dansen om me op te vrolijken. In plaats daarvan imiteerde hij feilloos de loop van voorbijgangers tot het me irriteerde en ik snauwde dat hij ermee op moest houden.

José bukte, aaide een denkbeeldige hond, lokte het dier achter zich aan tot ik de aanplakbiljetten in een plas kwakte en stampte als een klein kind. Waarom moest er altijd gelachen worden of gek gedaan? Wat was dat voor flauwekul? Kon dan niemand me met rust laten?

Mijn schoen. Ik miste een hak, keek om. Verdomme. Daar. Als een bestraffende vinger stak het ding tussen de klinkers. Laat maar zitten. Wegrennen, me ergens laten neerzakken, de kou laten komen, gewoon niet meer opstaan!

Opeens stond José voor me, trok me tegen zich aan. Een warm lijf. Had ik verwacht dat hij in lachen zou uitbarsten?

Mensen schoten langs ons heen. Bleke vissen in een winkelruit. Ik leunde tegen hem aan, een zin uit een sainette: 'Mijn leven heeft geen enkele zin.'

José blies mijn haren uit zijn gezicht. Cider, bruisend en bitter bij de eerste slok. Het gemak waarmee hij leefde, naar de muziek van zijn vriend David luisterde. Sigaret tussen de lippen, half dichtgeknepen ogen en ritmisch klappende handen, steeds sneller. 'Ay!' Een levenslust die moedeloos maakte.

'Je zult ze de kost moeten geven, meisjes die willen zijn zoals jij.' Altijd weer die lach, bijna grommend, vingers in mijn rug. 'Kom op nou.'

'Je begrijpt me niet.'

'Ik begrijp je wel. Heel goed zelfs. Kijk om je heen.' Hij tilde mijn kin op en dwong me naar de mensen te kijken op het plein, hangend in hun jassen. 'Wat wil je dan?'

Wat ik wil? Hij had het toch gezien, zat er met zijn neus bovenop. Ik hoorde mezelf, een geit met de bek vol gras. 'Zie je dat dan niet? Ik besta niet. Ik ben mijn moeder, verdomme. Ik leef haar leven, ik doe wat zij wil.' Ik trok me los, jankend, zette het op een lopen, onhandig rennend op de punt van mijn schoen. Een hoek om, een smalle steeg met ontbrekende klinkers, iets wat me de weg versperde. Een man. 'Chica, chica.' Een loshangend overhemd. Buikvlees dat onder mijn handen opzij gleed. Ik wrong me erlangs.

'Wat is er nou?' De stem van José achter me, bijtend.

Ik verzwikte mijn enkel bij een straatput waardoor hij voor me kwam te staan, me bij de arm greep.

'Iedereen leeft iets anders. Godverdomme.' Hij snoof, schudde me heen en weer. 'Kijk naar me. Kijk me aan. Zo gaat dat hier in dit kloteland. Dat is ons lot. Begrijp dat dan!'

Ik schopte mijn kapotte schoen uit. 'Vroeger was ik alleen. Altijd. Een kind tussen volwassenen.' Mijn stem sloeg over. 'Nu ben ik nog steeds alleen.'

José liet me los, schudde zijn hoofd. 'Wat zeur je nou? Iedereen staat voor je klaar, ze dragen je op handen. Je vader, je moeder, ik.'

Een stom happend snikken.

Ditmaal trok José me niet naar zich toe. 'Je ouders hebben moeten vechten om iets op te bouwen na die verdomde oorlog. Iedereen hebben ze beschermd, ook mij. Ik snap heus wel dat je boos bent omdat je niet naar het conservatorium mocht, maar je moeder had gelijk door je te laten zingen voor de Guardia Civil. Zo blijven we buiten spel, ook David en al die andere acteurs die voor jullie werken.' José slikte, ik zag lijnen rond zijn mooie mond die ik niet eerder had opgemerkt. 'Ik zie mijn familie nooit. Dat weet je. Zelfs mijn eigen kind niet. Ik jank ook weleens, maar wat heb je eraan?'

Hij had gelijk. Natuurlijk had José gelijk. Mijn vriend zou worden gelyncht als zijn vrouw en haar familie erachter kwamen dat hij hield van een man, met hem samenwoonde in een gezelschap van artiesten. Hij streek met beide handen over zijn gezicht en liep toen naar mijn weggeschopte schoen. 'Kom, we gaan terug om je hak te zoeken. Je moet niet zo nadenken.'

29

Zijn laatste gedicht over het klooster schreef Pepe jaren later. In de kamer van de overste bleef hij met moeite staan. Hoe had hij ze niet kunnen horen? De woorden uit dat bekende gezicht, die mond met de bruin aangeslagen keien. 'Mijn zoon zul je nooit worden.' Vooral dat laatste: 'Nooit!' Hij staarde naar de Madonna in haar glazen gevangenis, in haar armen het kind dat zoveel jaren later zou worden vastgespijkerd aan een kruis.

In de hoek van de kamer stond Santiago. Hoelang al? De apostel draaide zich om. Hij drukte zijn hoed op zijn hoofd en verdween tussen de gordijnen door naar buiten.

Pepe kreunde. Alles in hem werd slap. Had hij zijn leermeester ooit echt gezien?

Een warmte naderde, frisse adem. Zijn moeder was de kamer binnengekomen. Ze kwam naast hem staan, legde haar hand tegen zijn pijnlijke wang en hij liet het toe, verdoofd. Ze boog voor de overste en bedankte hem voor de goede zorgen. Toen drukte ze de koffer waar hij mee gekomen was in Pepes hand, trok hem mee de gang door en liet de zware kloosterdeur achter hen dichtvallen. Haar hand voelde als een strik die hem niet meer zou laten ontsnappen.

Pepe liet zich meetrekken. Hij wist niet wat de overste tegen zijn moeder had gezegd, was te moe om ernaar te vragen. In de verte sloeg een klok, een zware gong die bleef rondzingen in zijn oren, ook toen het gebeier allang was verstomd.

Er was een man die wolken at.
Je kreeg een bordje en je mocht
twee plakken van een nevel snijden.
Hij goot er zonlicht overheen.

Je zong een lied dat niemand kende,
ook jij niet, en ze luisterden,
de boeren op hun keukenstoelen.
Je maakte van hun stal een kerk,
een luchtschip waar de vogels woonden.

Toen was de man een hagedis
die met zijn glazen blik en schubben
je mond in kroop, je keel in dook
en siste, ergens in je borst.

Je danste, vloekte, at een steen,
en op een ochtend brak het dier.
Er lagen glaskruimels op je lippen,
alsof je in de witte kamer
alleen nog dode liedjes zong.

Een oude man stond aan je bed.
Hij bracht een doos met wolken mee,
hij goot er zonlicht overheen
en at ze op. Jij spuwde scherven.

30

Ik dacht dat de kou als een oude verflaag van me afbladderde toen ik Pepe in dat lege theater zag dansen met de spastische bewegingen van gekke Luis. Ik dacht dat ik eindelijk weer in staat was iets te voelen toen agenten van de geheime dienst hem later na een voorstelling zonder een woord meenamen. Pepe keerde na zijn verblijf in de cel terug als een man met een ander gezicht, maar wij hoorden bij elkaar, wij hadden iets gemeen.

Nu ben ik daar niet meer zo zeker van. Ook hier in Nederland ontwaken de vleermuizen uit hun winterslaap en verlaten hun schuilplaats als het jonge groen uit de aarde barst. Nog steeds durf ik niet terug te denken of mezelf volledig onder de loep te nemen – laat staan een waarheid te vertellen die mijn ego niet ten goede komt.

Pepe heeft lef gehad. Hij heeft zijn schaamte over het misbruik opzijgezet. Hij heeft opgebiecht wat hem overkomen is en waartoe hij later in staat is geweest. Voor wie ben ik dan nog bang?

Ik haal het album waaraan Pepe was begonnen weer uit de koffer, kijk naar foto's van mezelf als meisje: een kleine actrice, verlangend naar bewondering, applaus. Dan trek ik ze los van de bladen, scheur ze in stukjes. Schoentjes, jurkjes, lachjes.

Ik was verdomme een kind toen mijn moeder lappenbollen

onder mijn jurk schoof en me tot een groot mens verklaarde. Ik was niet groot.

Misschien heb ik als negen- of tienjarige een man gedood die al dood was en ben ik nooit verder gekomen dan dat moment.

~

Het is waar, ik heb mijn herinneringen aan de maquis in de grot nooit aan mijn ouders verteld, alleen aan Pepe. Het verhaal over de ochtend die snel en heet op gang kwam, de vogels die bleven zwijgen en hoe ik de dode man over het gras sleepte naar een plek in de zon. Die gebeurtenis. De afloop was anders. Dat is wat ik hem alsnog had moeten vertellen.

Ik had die nacht in mijn jurk geslapen. Mijn haar was een klittenbos, mijn kousen waren vuil en ik wist dat mijn moeder me nooit zo had laten gaan – een verzorgd uiterlijk kon je redden in een onverwacht hachelijke situatie – maar boven bij de grot vond ik geen levenden meer die er iets van zouden kunnen zeggen.

Nu pas weet ik waarom doden niet meewerken, dat er iets geks gebeurt in hun lichaam waardoor de spieren verstijven en er zelfs kippenvel ontstaat, ondanks de hitte. Dat wist ik niet.

De man van de varkenssnuiten was zwaar. Ik had geprobeerd hem rechtop tegen een boom te laten zitten. Ik had hem te eten gegeven, reepjes varkenssnuit in zijn mond gestopt, een broodkorst, wijn uit een beker, maar hij vertikte het om te kauwen of om zijn keel te laten slikken.

Snapte hij het dan niet? Al die andere mannen hierboven mochten dood blijven, al die wit geschminkte acteurs in dit toneelspel zonder toeschouwers; maar hij niet, de man die zo op mijn oom Fernando leek. De avond ervoor nog had hij mijn hand gepakt, me over mijn wang geaaid en verteld dat hij een dochter had, net zo mooi als ik. Nu zou ik hem redden, weer tot leven wekken.

'Venga. We gaan.' Opnieuw sjorde ik de maqui omhoog, een mier met een verstijfd insect, maar hij bleef scheefzakken. Het vlees rolde uit zijn mond. De wijn droop langs zijn kin op het jasje met de knopen, dat hem belangrijker maakte dan de rest.

Ik liet hem los, veegde zweet en haren uit mijn gezicht. Hijgde.

Die ogen, waarom wilde mijn nieuwe oom me niet aankijken?

Ik boog voorover, pakte hem bij zijn kin, sloeg tegen zijn wang met een klets die in de stilte vreemd levend klonk. 'Kijk me aan als ik tegen je praat! Kijk me aan!' Nog een klets. Ik rukte aan zijn hoofd waardoor hij omviel, als een onwillig kind tegen mijn benen rolde.

'Terug jij, op je plaats.' Ik duwde en trok. Gromde. Waarom regende het niet? Waarom donderden er geen hagelstenen uit de lucht waardoor iedereen als een haas zou opspringen en wegrennen om te gaan schuilen? Een ingelaste pauze tijdens de voorstelling in afwachting van beter weer?

Toen pas drong het tot me door, een trage gasbel in een stinkende sloot. Ik gaf hem een trap in zijn buik. Nog een. Een hak midden in zijn gezicht. Ik deed een stap opzij, greep naar de waterkruik, maaide het ding met beide handen door de lucht waarna het aardewerk krakend uiteenspatte op zijn schedel.

'Je bent een klootzak, een valse verrader! Je moet opstaan, opstaan. Je moet leven!'

31

De cake in de broodtrommel is beschimmeld, en als ik met de Toyota naar de zwarte markt rijd, denk ik een ratelend geluid te horen. Zou die sjacheraar met zijn idioot lage bod op onze auto dan toch gelijk krijgen?

Ik bel de man van de Hoogovens die we altijd bellen als er iets met de auto is. Hij neemt op vanuit Zuid-Afrika; hij is op vakantie. Zijn stem klinkt alsof hij naast me zit. Hij vraagt of ik weleens een giraffe heb aangeraakt of naast een leeuw heb gestaan. Hij klinkt verbijsterend gelukkig. Dan zegt hij dat Pepe de auto over twee weken maar voor zijn garage moet parkeren zodat hij ernaar kan kijken.

'Pepe was toch ziek,' zeg ik.

'O ja.' De man van de Hoogovens kucht beschaamd. 'Hoe is het met hem?'

'Pepe is overleden,' zeg ik.

'Godver,' zegt de man. 'Godver.' Hij kucht nog eens. 'Gecondoleerd dan maar.'

'Dank je,' zeg ik.

Hij zwijgt.

'Zal ik dan zelf maar de auto voor je garage zetten?' vraag ik.

'Gaat dat je lukken, denk je?'

'Hoezo?'

'Nou, een vraag, zomaar. Ik bedoel er niets mee.'

'Tuurlijk gaat dat lukken,' zeg ik. 'Tuurlijk.'

'Oké,' zegt de man van de Hoogovens. 'Ja, doe dat maar.'

'Alvast bedankt,' zeg ik.

'Ben je daar nog?'

'Ja.'

'Ik ben er pas over twee weken, of had ik dat al gezegd?' Weer die kuch. 'Ik ben op vakantie, begrijp je. Een warm land met beesten en zo. Heel anders dan thuis.'

'Ja. Dat heb ik begrepen,' zeg ik, 'dat had je al gezegd.'

'Sterkte dan maar.'

'Dank je. En nog een fijne vakantie.'

~

Pepe schreef geen gedichten meer na zijn vertrek uit het klooster. Lopen moest hij, weg van de vreemde man met de snor die naast zijn moeder aan tafel zat in het nieuwe huis. Weg van Fina die net als hij in een klooster had gezeten en nog steeds tegen hem praatte alsof hij haar baby was. Slapen in dat huis, soms iets eten, meer niet. Pepe doorkruiste de stad, verkende alle paden en hoeken van de markt, liet de munten in zijn zak ongemoeid en at resten van fruit en brood die waren achtergelaten door boeren en kooplui. Tijdens de siesta kroop hij weg tussen de struiken in het park en probeerde te slapen. Maar als hij wakker werd, was de onrust terug, zoals het vuil in de stad: erger dan daarvoor.

Hij sprong op, klopte zijn kleren af en liep alweer, in een sukkeldraf. Jongens van zijn leeftijd mijdend, met hun kinderlijke spelletjes en stom gekibbel. Hij zwierf door de havens tot hij in straatjes belandde waar vrouwen rokend tegen deurposten stonden geleund. Rode lippen, een hand op hun heup. Ze wenkten, maakten grappen, gisten naar zijn leeftijd, maar

Pepe liep door, verschool zich achter een poort en keek toe hoe de voorbij slenterende mannen de vrouwen begluurden. Louche handelaren op de zwarte markt, zeelui. Even verderop in de straat bleven ze staan. Daar trapten de kerels hun peuk uit op de losgeraakte stenen, praatten wat, grinnikten en liepen terug. Breed getrokken schouders. Een hand half in hun broekzak, wetend dat ze geld nodig hadden, dat ze anders werden uitgelachen.

Pepe speelde met de munten in zijn zak, kon het niet laten om de vrouwen te bestuderen, de jurken die aan hun lichamen kleefden, de hakken die hen hoog optilden en waarop ze voortdurend danspasjes maakten zonder zich te verplaatsen. Het waren geen meisjes meer, maar vrouwen met borsten die bewust langs een mannenarm streken. De jongste was hun godin. Haar vingers gleden langs een bovenbeen, een visser, de binnenkant van zijn dij. De man had een rug om moeiteloos zware netten mee op te halen. Een scheepsruim vol vis. 'Kom maar.' Kabels van touw. Onverslijtbaar. 'Kom dan.' De vrouw lachte en de ruwe handen van de man tastten al toe voor ze over de drempel stapten. Vlees onder stof, aangenaam warm door de zon.

Meretricem fuge, ontvlucht publieke vrouwen.

Alsof hij zich had gebrand liet Pepe zichzelf los en trok beschaamd zijn broek recht. Waar was hij mee bezig? Hij hoorde hier niet. Hij hoorde in een klooster te wonen waar hij kon leven naar regels, de ochtendmis, het vouwen van boekbladen, het schillen van aardappels, middageten met bonen waar beestjes in zaten die je eruit moest pulken, lessen van broeder Tiburcio, zingen en lezen, het herschrijven van zijn gedichten met broeder Esteban – en dat andere waar hij niet aan wilde denken maar dat hij wel had volgehouden.

De muren schoven op hem af en Pepe kromde zijn rug om

de felle steken in zijn darmen op te vangen. Hij kokhalsde. Waarom had hij daar niet mogen blijven? Wat had het voor zin om te wonen in een stad waar iedereen maar deed wat hij wilde? Hoe moest hij dat doen: leven zonder doel?

Ergens in de straat klonken kinderstemmen. Koerende duiven in de dakgoot. Hij slikte en liep alweer, draafde. Brede trappen, een kapel, bidplaats. Hij sloeg af, vermeed de straten met de koperen schelpen tussen de klinkers, het pad voor pelgrims dat doorliep tot aan Santiago de Compostella. Soms dacht hij Javier te zien, broeder Esteban of Ricardo. Ze stonden daar, zomaar, op een stoeprand of tussen mensen op een plein en staarden naar hem. Maar als hij naar ze toe wilde lopen, leken zijn benen te verlammen. Zijn vrienden uit het klooster waren vreemden die naar hem keken alsof hij idioot was, een tik van de molen had gehad. Hij had het verpest, maar met wat?

Hij liep harder, zocht struikelend zijn weg naar de rivier waar ratten geschrokken wegzwommen, en bleef daar staan. Het donkere water lokte, de diepte, de bodem van zuigende modder waar hij in kon wegzinken zonder lucht of gedachten. Weg van de schaamte.

Hij zakte op zijn hurken en staarde naar het wateroppervlak dat een jongen weerspiegelde, een lievelingetje zoals Juan die geen woord wilde zeggen, hem alleen met roodbehuilde ogen aankeek. Slaan wilde Pepe, vol op dat gelaat. Een jaap over een wang, een razendsnel opzwellende oogkas. Er moest iets uit die mond komen, een kreet om hulp. 'Hoe zou ik van U vluchten'. Vier coupletten. Nu!

Maar de jongen kromp ineen en liet zich met gesloten lippen langzaam voorover in het water zakken.

De avondzon brandde Pepe van de kade. Het licht was te mooi, doopte de hoge pakhuizen aan de overkant om tot dromerige landhuizen. De gravin. Wat zou ze van hem denken?

Hij ging staan, schopte een lege fles in het water. Kon het hem verdomme wat schelen? Haar geld was niet voor niets geweest, ze had haar zonden afgekocht, zonden die mochten bestaan door geld dat nooit op zou raken.

Even verderop stond een oude loods. Daar knoopte hij zijn broek los en piste tegen de rotte deuren. Zijn lijf ging zijn gang, zijn hand om zijn geslacht, het beeld van de godinnen nog op zijn netvlies. De jongste. Daar was ze, een pijn teweegbrengend waardoor er tranen in zijn ogen sprongen. Hij spoot: vocht dat voorheen alleen zijn huid had besmeurd, afkomstig van een ander, maar nu ook uit zijn eigen lichaam kwam. Hij verlangde opeens hevig naar het dorp in de bergen, de fijne druppels van motregen, de man met zijn hond bij wie hij terechtkon wanneer dat nodig was. Een maispannenkoek, een pollepel water. Hoe had hij kunnen denken dat hij het moeilijk had, toen, met de honger, de kou, het gepest, de dingen waar je gewoon woorden voor kon vinden. Dat was niets vergeleken bij dat wat er zich nu in zijn hoofd afspeelde. Hij wilde janken, hard en onafgebroken, maar de tranen waar hij al die jaren tegen had gevochten lieten hem in de steek, en gehaast knoopte hij zijn broek dicht.

32

In het ziekenhuis werd Pepe overgeplaatst naar een kamer voor twee patiënten. Hij sliep nauwelijks, maar weigerde een zwaardere dosis morfine, bang om weg te zakken in een roes en zijn verhaal niet af te kunnen maken. Zodra het eerste ochtendlicht langs de gordijnen kroop, schoot hij overeind en vroeg om een extra kussen in zijn rug.

Het duurde even voor hij zijn stem hervond, de balans tussen ademhalen en woorden naar buiten brengen.

'Ik had kunnen springen, Juanita, daar bij de haven. Dan zouden ze me hebben gevonden, aangevreten, en het had me geen reet kunnen schelen. Als dat lichaam maar verdween, dat gore besmeurde lijf.'

Hij sloot zijn ogen, beschreef de periode na zijn vertrek uit het klooster als een doolhof. De morfine leek een nieuwe streek met hem uit te halen. Hij rook de stank van afval en was verbaasd dat ik er geen last van had. Voor de zoveelste keer vroeg hij om zijn tandenborstel tegen de vieze smaak in zijn mond.

'Ik was de weg kwijt, cariño.' Hij streelde mijn vingerkootjes, de randjes van mijn nagelriemen, liet zijn hoofd achterover zakken en prevelde alsof hij alleen nog tegen zichzelf sprak. 'Ergens in dat klooster ben ik de weg kwijtgeraakt.'

$\backsim$

Pepe was vijftien toen Fina een baantje voor hem regelde in een koekjesfabriek. BANKETFABRIEK stond er op de banderollen van de blikken. Het gebouw nam de helft van de straat in beslag. Een klooster van baksteen. Schoorstenen als klokkentorens. Mannen werkten er. Geen pijen maar overalls van gebleekt katoen, rubberschoenen. Er werden ovens aangemaakt, deegmachines, en Pepe hielp met het laden van ingrediënten. Later stond hij tussen de mannen aan lange tafels om plukjes deeg op de bakplaten plat te drukken. Rechte rijtjes met genoeg ruimte om te rijzen. Daarna werden de platen in de ovens geschoven. Als de koekjes klaar waren, koelden ze buiten af. Dan begon het stapelen in de koekblikken, het vullen. Wat stukging, werd verzameld en afgetrokken van je loon.

Een witte pop keek toe, de vrouw van de baas, de lippen boterachtig rood. Oogjes die geen handeling over het hoofd zagen. In de boekbinderij gaven ze je een klets als je slordig werkte, of ze dreigden met de overste, maar deze pop sloeg toe als ging het om een levensbedreigend gevaar. Gebroken koek was godgeklaagd, voor eeuwig zonde. Ze loerde naar Pepes trillende vingers, zijn jongenslijf in de veel te grote overall waardoor er altijd iets brak onder zijn handen. 'Als je wilt spelen, ga je maar ergens anders heen! We zijn hier niet van de werkverschaffing.' Het boterrood werd een scherpe driehoek en haar vingertjes braken alle overgebleven koek op zijn plaat.

Je bent van suiker en van meel,
nooit heb je op een man geleken.
Je botten zijn zo bros als koek,
een flessenkindje kan ze breken.

Pepe boog zijn hoofd. *Magistrum metue,* vrees je leermeester! Hij was niet anders gewend. Als dit geen beproeving was, wat was het dan wel? Een nutteloze leegte die hij voor zichzelf niet wist in te vullen.

De witte mannen lachten om zijn slappe houding, noemden hem een sul en schoven hem de rottigste klusjes in de schoenen. De man die naast zijn moeder zat, kafferde hem uit. Er zou niets van hem terechtkomen als hij het vertikte om een opleiding te volgen of te luisteren naar een leraar. 'Een eeuwige koekenpoeper blijft die Pepin. En dat met zo'n stel hersens.'

Zijn stiefvader bleef nieuw en ver weg. Hij grinnikte om zijn eigen grappen, dronk de wijnfles leeg, speelde met zijn snor en streelde onder de tafel de knie van Pepes moeder, waar ze dure kousen om droeg die haar benen nog gladder en zachter maakten.

Fina schoof haar stoel naar achteren, probeerde haar broer met luide stem te verdedigen door te zeggen dat zij het een ramp had gevonden in het meisjesklooster en dat zij Pepe bewonderde omdat hij het zo lang volgehouden had. Maar haar woorden maakten dat hij zich alleen nog maar ongemakkelijker voelde en niet wist hoe snel hij zijn bord leeg moest eten om het huis te kunnen verlaten.

Na een jaar werken in de banketfabriek kocht Pepe een pantalon en een colbertjasje dat strak om zijn schouders en heupen sloot. Fijne sokken werden hem aangereikt, schoenen met stiksels. Hij poseerde voor de spiegel in een herenmodezaak. Daar stond geen jongen meer, er stond een man. Hij rechtte zijn schouders en de verkoper stelde voor om nog zo'n colbert aan te schaffen. Een andere kleur, je kon toch moeilijk altijd met hetzelfde jasje aankomen als je indruk wilde maken. En hij knikte, zwetend. Nog nooit had hij zo veel geld bezeten en uitgegeven. Een arm gezin zou ervan kunnen leven, kinderen zonder vader. Vlees en aardappels, schoenen in plaats van klompen.

Pepe deed een stap naar achteren, concentreerde zich op de geperste vouw in de stof, het leer van de schoenen. Hij had gewerkt, gesloofd, en was dit niet precies wat hij nodig had? Een nieuw begin. Zodra de broeken waren ingekort, zou hij een paar dagen verlof nemen en Manolo opzoeken in León. Zijn broer had een zakhorloge dat van hem was.

Hij haalde het rolletje papiergeld uit zijn zak en betaalde alsof hij niet anders gewend was. Hij leefde, de man zonder verleden, draafde niet maar liep door de stad met voeten die nauwelijks de keien raakten. Een brandend lichaam, de godinnen, de jongste met haar hoge borstjes en romige huid. Hij streelde het rolletje papier in zijn broekzak – zij kon zijn missie vervolmaken.

Maar toen hij bij de smalle straat aankwam, zwom de oude onrust als een rattenplaag zijn gedachten binnen. De jongen in zijn hoofd maakte zwijgend de riempjes van zijn sandalen los, zijn broek, en ging voorover liggen op zijn buik.

Pepe klemde zijn kaken op elkaar. Hij wilde het binnenhouden, zijn misselijkheid, de vernedering van een harige mannenhuid die tegen zijn billen schuurde. Zijn geslacht dat hard en meedogenloos een eigen leven leidde. Hij was alles wat hij nooit had willen worden, en iedereen had gelijk. De hele godvergeten wereld had gelijk. De witte pop, zijn collega's in de fabriek. Ze drongen zijn ogen binnen, kletsten met hun vingers op de rug van hun andere hand en kwamen niet meer bij van het lachen.

Pepe zakte op zijn hurken, verborg zijn kop tussen zijn knieën.

Er was geen man! Ze hadden gelijk. Een jongen was er. Een kind dat zijn mond wilde openen maar geen woorden vond.

Pijn was pijn, honger was honger, er was een god en er was een duivel, goed en kwaad. Je kon de woorden opschrijven, met uitroeptekens. Maar hoe benoemde hij dat wat er zich afspeelde in zijn hoofd?

Gekke Luis brieste en blafte. Vlokken speeksel spatten van zijn wild zwiepende kop. De dorpsjongens wisten niet hoe snel ze stenen moesten rapen om het gekromde lichaam te raken. Ze schreeuwden van opwinding en joelden als het hen lukte.

De man kwam op hen af, maar zijn benen werkten niet mee. De met lappen omwikkelde voeten sleepten zich onhandig door de modder. De jongens waren sneller, bleven met gemak op afstand en vonden steeds nieuwe keien.

Pepe keek toe van achter de struiken, stom jankend. Waarom durfde hij niet naar gekke Luis toe te lopen? Hij kon toch laten zien dat de man niet gevaarlijk was, dat hij de stenen voor hem wilde opvangen. Was hij niet uitverkoren om een held te worden? Waarom deed hij niets?

In de stad kwam Pepe wankelend overeind. Hij zette het op een lopen.

Voorbijgangers deinsden achteruit. Ze wisten het allang, begrepen het al veel eerder dan hijzelf: hij was mislukt. Ook toen al, in de bergen, als leerling van een apostel die zich schuilhield achter bosjes. Hij was nooit geschikt geweest om een held te worden, een heilige als Santiago. Alles was onzin geweest, een kinderlijk verzinsel.

33

Toen ik zestien werd nam mijn moeder me mee naar de stad. Bij een juwelierswinkel met hoge etalageramen belde ze aan. Ze was er eerder geweest. Haar hand vond zonder te kijken de deurbel en een dame in een zandkleurig mantelpakje begroette haar als een bekende.

Ze had oorbellen besteld, een bijpassende armband. Unieke exemplaren uit een fluwelen doos die aan mijn oren werden gehangen, om mijn pols geschoven. Toen de verkoopster ook een ketting om mijn hals legde, knikte ze ernstig. Speciale lampen lieten de gouden schakels glanzen, de glazen roosjes ertussen met fijn gesneden blaadjes, minuscule nerfjes en steeltjes.

Terwijl mijn moeder met de juwelierster sprak alsof het haar dagelijkse gewoonte was om zich af te vragen of de kleur van het glas paste bij de teint van mijn huid, staarde ik in de ovale spiegel naar mezelf. Geen spiegelzusje meer dat vertelde hoe ik me moest gedragen, enkel de bogen van mijn wenkbrauwen, vreemd donkere ogen. Een glanzende radiokast op de achtergrond. Vloerbedekking die veerde onder mijn schoenen. De dode vrouw in het verlaten huis verscheen, haar lichaam op het kleed met rozen. Haar openhangende mond.

Hoe oud moet je worden om je daden te begrijpen?

Mijn moeder had haar armbanden geruild voor eten toen we huilden van de honger. Mijn vader had de falangist gedood en begraven die ons wilde verraden.

Daar in dat verlaten huis, in de schemer van die ochtend, was ik naast de vrouw geknield, had de gouden tanden losgetrokken van het grauwe vlees. Een zuigende klik, de tong als een geplette slak, niet meer in staat om er iets van te zeggen. Zonder schuldgevoel had ik de brug schoongewreven aan de gordijnen en later in mijn vaders binnenzak laten glijden. Waarom, in godsnaam?

Muziek op de radio. Zacht gerinkel, een tamboerijn, razendsnelle vingertoppen op het vel. Hakken die zorgeloos roffelden.

Ik wilde niet langer in die spiegel kijken, het slotje in mijn nek moest los. Ik hoefde geen juwelen met roze roosjes. Weg ermee.

Voor Pepe was mijn moeder een steenbok met sterke hoorns. Voor mij was ze een maestro die corrigerend op mijn vingers tikte. Ik liet mijn armen zakken zoals mijn tante Soledad en Lola hun armen zouden laten zakken als haar stokje dat aangaf. De juwelierster schoot me te hulp door het slotje los te haken en de sieraden terug te leggen in de doos. Een zweem van parfum. Een aangename temperatuur door markiezen die de zonnestralen weerden.

De vrouw klapte een map open. Ze schreef een absurd hoog bedrag op een bon, dat mijn moeder zonder met haar ogen te knipperen betaalde. Buiten trok ze me naar zich toe en drukte een kus op mijn wang.

'Lach eens, Juani. Ik zie je zo graag lachen, kind.'

'Het is prachtig, mam, maar veel te mooi. Wat zullen de anderen wel niet zeggen?'

'De anderen hebben daar niets mee te maken. Ze hoeven toch niet te weten wat ze hebben gekost, en deze sieraden zullen alleen maar in waarde stijgen.'

'Maar dat geld, hoe kom je aan al dat geld?'

'Dat gaat je niets aan, cariño. Soms heeft een mens iets

nodig om van op te vrolijken, zichzelf weer op waarde te schatten.'

'Mam, ik... het spijt me, het spijt me echt van laatst.'

'Kom, het is goed zo. Ook ik moet mezelf weleens aanpakken. Niet zeuren, zeg ik dan. Niet zeuren en gewoon doorgaan.'

'Ik wil niemand teleurstellen.'

'Kom, geef me een zoen. Lach eens. Wees blij.'

'Ik ben blij.'

'Je hebt de stem, mi niña, je hebt alles wat ik ooit wilde.'

'Maar ik wil dat juist niet.'

'Wat niet?'

'Zijn wie jij wilt zijn.'

'Doe niet zo gek! Zo letterlijk bedoel ik dat niet. Wees toch niet zo serieus. Wees gewoon blij met een cadeautje.'

Ik probeerde te glimlachen. Blij zijn moet je niet spelen, Juanita. Begrijp dat nou eens! Je moet gewoon blij zijn.

34

Manolo was verrast om Pepe te zien. Hij droeg dezelfde kop als vroeger en zijn klompschoenen persten vette kuilen in het sintelpad. Pepe gaf zijn ogen de kost. De huizen van het mijnwerkersdorp stonden als voorraaddozen tegen elkaar. Hier en daar splitste een steeg het huizenblok. Modderige paadjes leidden naar binnenplaatsen vol vuilnisbakken, drooglijnen en wc-hokjes met halve deuren. Oud vuilnis rook hij, gebakken vetspek. Kinderen met groezelige gezichten keken naar hem op, en een vrouw gooide een emmer met schuimwater leeg over de stenen.

Manolo had de leiding over de exploitatie van een nieuwe ader. Zijn huis stond op de grens van het dorp en was groter dan dat van de overige mijnwerkers. Met een breed gebaar sloeg hij de deur open en duwde Pepe voor zich uit naar de woonkamer.

Zijn ogen moesten wennen aan de schemer in de ruimte. Een kleine gestalte kwam op hem af, een smal gezicht waarin hij fijne contouren ontdekte, een halsdoek boven een schort vol zakken. Heel even keek de vrouw hem aan. Een blik alsof er niets was wat haar nog kon verbazen of kwetsen. Een afwezigheid die Pepe herkende, dagen en uren die zich als lege koekblikken opstapelden, handelingen die zich stomweg herhaalden.

Manolo liep naar de tafel en schoof een stoel voor hem bij.

Naast de twee kleintjes die op hun billen over de vloer schoven, dribbelde er een varkentje door de huiskamer. Een zwartharig beertje dat zo leek ontsnapt uit het kolenhok.

Pepe nam plaats. Het was geen oud huis, zoals in het dorp waar Manolo en hij waren opgegroeid, maar ook hier liepen grove scheuren door de muren, en de luiken leken vastgeklemd tussen de sponningen. Santa Barbara sierde de schoorsteen. De kolenkachel was indrukwekkend op zijn smalle pootjes.

'Hoe is het met moeder?' Manolo draaide shag. Handen met blauwige littekens rolden het vloeitje. 'Ze heeft een vent met centen aan de haak geslagen, hoorde ik.'

Pepe knikte even. Hij had geen zin om over hun moeder te praten en al helemaal niet over de man met de snor die haar knieën streelde. De brandende kolen in de kachel wierpen hun rode gloed over een smalle tafel waarop een naaimachine was bevestigd.

'Is je vrouw naaister?' Hij wees met zijn hoofd naar de keuken waar de koffiemolen ratelde.

'Ik verdien genoeg.' Manolo keek hem aan van opzij, een waarschuwende blik. Een van de kleintjes trok zich op aan zijn knie, maar hij duwde het kind van zich af. 'En Fina? Nog steeds alleen, zeker?' Manolo ontblootte zijn doorschijnende tanden, een grijns die Pepe zich zo goed herinnerde uit de tijd dat zijn oudste broer de baas speelde in huis. Een rimpeling in donker water. Je wist nooit wat zich onder het oppervlak bevond.

Milagros kwam de kamer binnen met een dienblad, ze zette bekers op de tafel, een bord koek. Toen ging ze zitten, nam het varkentje op haar schoot en krabde het beestje gedachteloos tussen de oren.

'Een pot in de familie. Had jij dat ooit gedacht, broertje?'

Manolo lachte ineens luid. Een bulderend geluid dat overging in gehoest en gerochel. Zijn vuist sloeg op het tafelblad.

'Wat bedoel je?' Pepe voelde zich slap worden en klemde beide handen om de koffiebeker.

'Dat rare zusje van ons valt op wijven. Dat is wat ik bedoel.' Manolo grinnikte, zijn stoel schokte op zijn poten. 'Het is dat je er zo stoer uitziet in je mooie pakkie, anders zou ik ook nog wat van jou denken, Pepin.'

De beker viel niet, toch spatte de koffie over de vrouw tegenover hem.

Pepe moest opstaan. Nu. Zijn broer aanvliegen, hem van die stoel af trappen. Beuken moest hij. Als je niet grof was, was je een flikker en Manolo verwachtte bewijs zoals iedereen bewijs verwachtte.

Hij bleef zitten, wilde iets zeggen dat bleef steken in zijn keel.

Zijn schoonzus schoof haar stoel naar achteren, stond op en liep naar de keuken.

'Het is toch niet te geloven.' Manolo zuchtte. 'Je bent nog net zo'n sukkel als vroeger.' Hij drukte zijn peuk uit op een gebarsten schoteltje. Toen reikte hij naar Pepes gezicht en streek met zijn duim keurend over de huid van zijn wang, zijn bovenlip. 'Je kwam voor een klokje? Ik weet niets van een klokje, maar het wordt tijd dat je je gaat scheren, broertje. Wees maar niet bang, van jou maken we een echte man.'

Er was een godin in de kroeg waar Manolo hem mee naartoe nam, en Pepe kon zijn ogen niet van haar afhouden. Haar borsten lagen voor het grijpen, maar zijn broer trok hem mee naar de bar en stelde Pepe voor aan mannen die geleidelijk aan gezichten kregen, hem op de schouder sloegen en bier aanboden. Kompels, boeren, grove neuzen en brede kaaklijnen, en ineens leek er iets van Pepe af te glijden, de schaamte, zijn neiging om te vluchten zodra hij het idee kreeg ergens bij te moeten horen. Het bier smaakte goed. Er kwamen grappen voorbij die hij maar half begreep, maar hij lachte mee, gaf rondjes en voelde zijn geld branden in mijn zak. Tussen de drinkende mannen door gluurde hij naar de vrouw. Hoe zou het zijn, haar huid tegen zijn handpalmen? Alleen al de gedachte gaf hem prettige steken onder in zijn buik. Hij zou haar kunnen meenemen, in zijn fantasie alleen al, haar nog niet aanraken, eerst nog niet.

'Doe je schoenen maar uit.'

Ze zou iets door haar knieën zakken, haar evenwicht proberen te bewaren terwijl ze een van haar schoenen uittrok zoals hij ooit zijn sandalen had moeten uittrekken van broeder Esteban. Dan de andere. Voeten als van een kind. 'Je bent toch niet bang?'

Ze schudde haar hoofd. Nee, ze was niet bang. Alleen een beetje misselijk. Maar dat was goed. Dat was haar offer.

'En nu je jurk.'

Ze aarzelde, bloosde, en Pepe wist wat ze dacht. Zijn eigen gedachten bij die eerste keer in de kloostercel. Waarom moest hij zich uitkleden? In de cel was geen kraan, geen wasbak om zich te wassen. Er lagen alleen leerboeken op tafel, er hing alleen een kruis aan de muur.

'Doe je armen omhoog.' Hij bukte en greep naar de zoom van haar jurk zoals broeder Esteban de rand van zijn trui had vastgepakt. Pepe ontblootte haar benen, de kuiltjes aan weerszijden van de knieschijven, haar smalle onderlijf dat niet zoveel verschilde van dat van de jongens die zich vroeg in de morgen nog half slapend aankleedden voor de eerste mis. Een wit broekje. Hij hapte naar adem. Rustig aan. Ze mocht niet bang worden en weglopen. Hij probeerde zijn adem weer onder controle te krijgen. Het nauwe gedeelte van de jurk bleef steken en hij gaf kleine rukjes om de stof niet te scheuren. Toen rolde de bollende huid hem tegemoet, veroorzaakte een felle kramp tussen zijn benen, dat wat broeder Esteban moest hebben gevoeld en wat hij zich zo moeilijk kon voorstellen bij zijn eigen jongenslijf van toen. Toegrijpen wilde hij, terwijl haar hoofd en armen nog gevangen zaten in de jurk, maar hij zou zich beheersen, aardig blijven. Ze mocht niet bang worden zoals broeder Esteban hem ook niet bang had gemaakt. Behoedzaam trok hij het kledingstuk van haar af, rook de zurige lucht van een pij. Hij knikte geruststellend en wees naar het bed.

'Ga maar liggen, op je buik.'

Ze gehoorzaamde als een kind en hij sloeg een kruis, proefde vruchtvlees, een zoete sinaasappel. Nu was ze van hem, gevangen in zijn fantasie, wanneer hij maar wilde. Pepe staarde naar de bierpul in zijn hand.

'Kijk hem, ons pikkie hier slaat voor elk biertje een kruis.' De man die ze 'de zwarte' noemden sloeg lachend met zijn lege kroes op de bar. 'Dan heb ik er nog heel wat in te halen.' De andere mannen brulden, spogen fluimen in het zaagsel op de vloer. De barman vulde al kauwend de lege bekers, zijn buik trilde als hij een volle pul op de bar klapte.

Pepe voelde zijn wangen gloeien. Het stormde in zijn kop maar hij dwong zichzelf te blijven staan. Gehaast slokte hij de drank naar binnen. Wat was dat toch met hem? Zijn lust was een zonde, dat was zeker, maar het offer? Het offer kon geen zonde zijn. En degene die het offer vroeg? Hij durfde daar niet aan te denken en richtte zijn blik op de kerels om hem heen. Hij moest de grappen te pakken zien te krijgen die als spottende vogels langs hem heen scheerden. De vreemde kramp tussen zijn benen nam af naarmate het bier door zijn lijf sloeg.

De mannen zongen met de armen om elkaars schouders, en Pepe deinde mee als een van hen.

Manolo leek trots op hem te zijn, en Pepe deed er alles aan om indruk te maken. Er was geen jongen meer. Niet meer. Hij was een man, eindelijk was hij een man.

35

Ik heb ze nooit gedragen, de sieraden die mijn moeder speciaal voor mij had laten maken. Ze heeft er ook nooit iets over gezegd.

Natuurlijk heb ik gezocht naar de gouden tanden die mijn vader toch eens ergens moet zijn tegengekomen. Ik heb al zijn jas- en broekzakken nagezocht, zijn koffer ondersteboven gekeerd, zijn tas... Niets.

Ik loop de trap op. Achter in de la van de kaptafel vind ik de doos. Ze zien er na al die jaren nog steeds duur uit, de ketting, armband en oorbellen. Ik raak de schakels aan alsof ze eigendom zijn van een vreemde, iemand die het verdient om juwelen te bezitten. Niet ik.

'Ik zal ze dragen als ik wegga, mama. Zodra de Toyota gerepareerd is, zal ik ze dragen en niet meer afdoen.'

Beneden bel ik de man van de Hoogovens en vraag hoelang het nog duurt voor mijn auto klaar is.

Hij schraapt zijn keel alsof hij verbaasd is over zo'n vraag. Dan zegt hij iets over onderdelen van de sloop die op zich laten wachten.

'Je kunt toch ook nieuwe bestellen,' zeg ik.

'Wat is er mis met die van de sloop?' zegt hij. 'Die zijn praktisch nieuw.'

'Dan gaat het sneller,' zeg ik.

'Onzin,' zegt de man van de Hoogovens. 'Typisch vrouwenpraat. Een total loss laat nooit lang op zich wachten.'

'Bedoel je een ongeluk?'

'Een total loss is een ongeluk, ja.'

Madre mía. Ik druk de telefoon tegen mijn oor. Zijn alle mannen die aan auto's frunniken van hetzelfde laken een pak? Geen vrouwenvragen nu.

'Het moet maar net een Toyota zijn,' zeg ik met stevige stem.

'Niet per se,' zegt de man.

'Dat wist ik niet.' Een aarzeling, toch.

'Er was vanmorgen nog een ongeluk,' zegt de man. 'Twee mooie merken. Zag er goed uit.'

Ik zwijg, denk als een bezetene, zie beelden: een hoofd door een ruit, glas en bloed, een kind in zo'n stoeltje.

'Maar voor ze bij de sloop zijn, hoelang duurt dat?'

'Het zullen deze niet zijn.' De man van de Hoogovens lacht. 'Wat dacht je. Vorige week waren er ook ongelukken, dat spreekt vanzelf, en de week daarvoor.'

'Zoveel?' vraag ik.

'Nou ja, bij wijze van spreken,' zegt hij. 'Misschien heb ik de onderdelen morgen of overmorgen al in huis. Maak je niet druk, madammeke. Waar moet jij nou naartoe zonder Pepe?'

Ik val stil. Er zit geen spat man in mij.

'Hier in Nederland heeft iedereen altijd haast.' Ik hoor hem klakken met zijn tong, grinniken. Hij vult de tijd, neemt de tijd. 'Neem nou Zuid-Afrika. Niemand heeft er haast en iedereen daar is gelukkig.' Hij snuift tevreden. 'Op die in de townships na, dan. Maar dat is een ander verhaal. Die willen niet.'

Dat laatste heb ik niet gehoord. Ik wil het niet horen zolang de Toyota nog niet gerepareerd is.

'Ik vind het een naar idee dat er eerst iemand een ongeluk moet krijgen voor mijn auto wordt gemaakt,' zeg ik.

'Tja, zo gaat dat,' zegt de man van de Hoogovens. 'Als ik

nieuwe bestel bij de garage, word je genaaid en dat willen wij mannen dan weer niet.' Hij grinnikt.

Dan zegt hij dat ik nog even geduld moet hebben en hij maakt sussende geluidjes. 'Het komt allemaal goed. Ga jij nou maar rustig je beeldjes poetsen in je tuin, en maak je niet druk. Alles komt goed.'

Ik zeg geen gedag. Ik mompel iets. Het zou van alles kunnen zijn. Ik druk hem weg en vraag me af of ik er wel goed aan heb gedaan om de man van de Hoogovens te vragen nu Pepe er niet meer is.

〜

País Vasco. Zeventien jaar na de oorlog. Een brede steeg, sluipende katten en een café als een gezonken schuit. Een harmonica lekte dansmuziek. Mannen met doorweekte ruggen vulden de ruimte. Ook aan de tafeltjes in de hoeken zaten mensen, maar de meesten stonden dicht op elkaar rond de bar, rokend en drinkend.

Terwijl ik het laatste aanplakbiljet tegen het raam hing – de gedrukte aankondiging naar buiten – zag ik José als een schichtig hert tussen de bierdrinkers door glippen. Een reusachtige kompel duwde zijn kameraden opzij. 'Even plaatsmaken voor meneertje hier.' Zijn knuist begeleidde de fijngebouwde artiest tussen de grove mannenlijven door richting de toog, en meteen al had ik spijt. Waarom had ik in godsnaam voorgesteld om hier iets te drinken?

Ik zag het gebeuren, zag hoe ze met hun dronken ogen naar hem keken, met hun zwetende lijven een kring vormden, bier morsten op zijn kleren, zijn nette broek. Ze grepen hem terwijl hij probeerde de situatie te redden door op hun schouders te slaan, te lachen alsof hij een van hen was.

Een stier met vlezige schouders beukte met zijn heupen tegen José's billen, stootte kreten uit alsof hij een paard bereed, een duim achter zijn broekriem. Door het gelach leek de man uit te groeien tot een toreador, zichtbaar genietend van zijn populariteit. José worstelde om los te komen, maar de man dwong hem op zijn knieën, drukte José's hoofd in zijn kruis terwijl hij schokkend tegen zijn gezicht aan reed. 'Ven, muchacha, ven.' Een hoge vrouwenstem. Een roedel kameraden die iets gingen botvieren dat niets te maken had met vlees en honger.

Er viel een glas. Bellen schuim kleefden als spuug tegen de bartegels. Wat zich daar afspeelde werd een stomme film. Schokkerige bewegingen die ik niet langer kon aanzien. Ik herinner me een opgezet hert aan de muur, de hals nauwkeurig afgezaagd boven de romp. Een spreuk op een strak gelakt plankje: SOLO SE VIVE UNA VEZ, je leeft maar één keer. Meerdere plankjes...

Ben ik naar ze toe gerend? Heb ik geschreeuwd dat ze José met rust moesten laten, dat hij mijn man was, mijn echtgenoot, verloofde of iets dergelijks? Was ik nu wel te vertrouwen?

Ik weet het niet meer. Misschien. Maar zo zou ik het hebben gewild. De redder zijn van mijn vriend, de enige van ons gezelschap die begreep wat er door mijn hoofd spookte.

Alles hangt aan elkaar van idiote toevalligheden. De spreuk van een lafaard.

De mannen ontdekten mij, een jonge vrouw bij het raam. Ze was mooi, anders dan hun eigen vrouwen, en ze deed alsof ze niets doorhad, niets had gezien. De kerels weken uiteen, probeerden hun dronkenschap te verbergen door rechtop te gaan staan, verlegen te lachen. Een van hen floot en de anderen zetten José terug op zijn benen, trokken zijn kleding recht.

Of hij een biertje wilde? Nootjes? Toen lieten ze hem gaan zoals je een kameraad laat gaan na een onschuldige stoeipartij.

Misschien liep José eerder de deur uit en was ik degene die hem volgde. Of was het juist andersom en volgde hij mij met een afgewend hoofd. Een trek om zijn mond die ik niet eerder had gezien.

De zon vulde de straat. De namiddag lag languit op de klinkers en ik liep zonder te weten waarheen. Op de drempel voor haar deur zat een oude vrouw. Zwarte hoofddoek, tandeloze mond. Ze knikte, zei iets en ik groette terug. Ze had mijn oma kunnen zijn, de moeder van mijn moeder die was gestorven aan honger, of de moeder van mijn vader die niets te maken wilde hebben met vulgaire artiesten zoals wij.

Ik vloekte, schopte naar de hitte. Het klopte niet, dat daar in die kroeg. Die blinde mongolen aan de bar hadden mij moeten grijpen, de actrice in haar stadse jurk. Ze hadden dat voor eeuwig meegaande hoofd in hun zweterige kruis moeten drukken. Ik was net zo'n laffe meeloper.

36

De laatste ronde voor de nacht. Pepes koorts nam toe en een zuster bracht pillen. Ze raadde me aan om hem niet meer alleen te laten en haar te roepen als dat nodig mocht zijn.

Terwijl Pepe een verward verhaal voortzette, probeerde ik wakker te blijven in mijn slaapstoel. De man naast ons was in slaap gevallen voor zijn televisie. Het licht flitste langs de muren en ik kreeg flarden mee van een nachtfilm, hondenvoer en plakjes kaas die smaakten als de kus van een jong meisje. Ik sloot mijn ogen. Zolang Pepe doorpraatte, zou ik niet in slaap vallen.

'Luister je?' Pepe schudde me wakker. Een klamme, hete hand. Hoe laat was het? Ik had hem in de gaten moeten houden, iets te drinken moeten geven. Hij had wel dood kunnen zijn. Iets wat ook de bedoeling is op een afdeling voor de laatste levensfase, maar nu nog even niet, Pepe, alsjeblieft.

Op het televisiescherm verscheen een ander meisje. Niet dat grietje van de kaas. Ze trok haar truitje omhoog, streelde haar borsten, de tepels, geen oude knoesten, jong en uitnodigend glad nog, liet haar hand over haar buik naar haar slipje glijden terwijl de koptelefoon op het bed verlangend kreunde, vroeg te reageren, een nummer te draaien.

Ik schoot overeind. Eerst die televisie uit. Waar was de afstandsbediening? Ik zocht onder het laken van de snurkende buurman, raakte iets waardoor de zender oversprong naar een man met zalvende ogen, een medium met toekomstadviezen.

Vijf euro voor tien minuten. De kop van een goeiige lobbes. Kwijlende woorden als groeien, sterk worden, stevig in je schoenen staan.

Er moest toch verdorie een uitknop zitten op die afstandsbediening?

Ik vond hem niet, het rondje met een streepje erdoorheen. Dan maar zo. Ik ging op mijn tenen staan en zocht met mijn vingers langs de achterkant van het apparaat. Vettige vlokken stof. Waar zat dat ding, die kloteknop. Of maakten ze tegenwoordig geen eenvoudige drukknoppen meer? Was alles op deze planeet inmiddels enkel op afstand bestuurbaar – ik ben het zat, moe, schakel mezelf uit. Toedeloe.

Een bijna onzichtbaar streepje in een langere richel. Wie verzon zoiets? Mijn armen tintelden toen ik ze liet zakken. Zo'n medium zou dat toch moeten voelen, dat ik hem uitschakelde, de toekomst uitschakelde. Dat zijn voorspellingen hier kant noch wal raakten voor die vijf euro.

De buurman rochelde.

Ja, ga jij maar dood, ga jij maar eerst. Ik veegde mijn kleverige vingers af aan zijn lakens, greep de koptelefoon en smeet het ding in een hoek. Toen vond ik mijn stoel en verborg mijn gezicht in Pepes koortsig zwetende handen.

～

Alles herhaalde zich in die week bij Manolo. Het slapen op het zolderkamertje tussen de gescheurde muren; zijn broer die thuiskwam van zijn werk en plagend naar het varkentje schopte; het eten aan tafel tegenover zijn stille schoonzus terwijl er twee kleintjes op hun billen over de grond schoven; de zware hand die op zijn schouder sloeg, hem door het dorp loodste; een eerste scheerbeurt bij een barbier; hun gang naar de kroeg en het drinken en het gluren naar de godin in de rokerige ruimte vol mannengeluiden. Pepe dronk bier, imiteerde de kompels, diste alle grove grappen op die hij zich nog kon herinneren van de mannen in de banketfabriek, paste zich aan.

Tot een meisje met rode haarlokken naar hem keek, naar hem bleef kijken, alleen naar hem, en haar hand tegen zijn borst vlijde, in zijn oor fluisterde dat hij zo anders was, zo knap. Haar hele lichaam drukte ze tegen hem aan. En Pepe streek met zijn vingertoppen langs haar voorhoofd, de lijn van haar hals, liet zijn handen verdwijnen in al dat lokkende rood en besefte opeens dat hij op een plek was waar ook de vrouwen geen gebaren maakten achter zijn rug, hem zelfs bewonderden omdat hij anders was, en voor hun doen stads.

Het dorp en de kroeg werden een zolder vol hooi. Hij liet zich erin opnemen en trok het meisje naar zich toe alsof ze zijn bezit was. De volgende dag haalde hij haar over om hem te volgen, de stegen door, het buitentrapje op naar de kleine zolderkamer van zijn broers huis. In de stofschemer drukte Pepe zijn lippen op haar mond terwijl hij de godin zocht die altijd ergens in zijn kop opdook, haar jurk uittrok en zich voor hem uitstrekte zodat hij zijn gang kon gaan. Het meisje in zijn armen hoefde geen pijn te lijden, maar de godin moest een offer brengen. Het gehoorzamen was de ware liefde. Een liefde die door de meeste mensen niet werd begrepen omdat ze niet in staat waren om zichzelf voor een ander op te offeren. Haar lichaam beefde alsof ze uren in koud water had gelegen. Maar hij stootte toe, zonk in haar weg terwijl het dorpsmeisje keek zoals ze al eerder naar hem had gekeken, alleen naar hem. Het kersenrood droop langs de hals met het opstaande kraagje, bevlekte zijn vingers, zijn gedachten.

Pepe deed een stap naar achteren en gebood haar de knoopjes van haar bloes los te maken, de haakjes van het hemdje daaronder. Een stem van een man. Schouders en armen die gewend waren aan zwaar plaatwerk, hete ovens. De geur van warme gebakken koek. Hij kwam op haar toe, eindelijk, en liet zijn handen gaan. Kleine plukjes deeg waar hij aan proefde, zacht en vochtig. Iets ruimte ertussen om te rijzen.

Er waren dingen die hoorden bij de jongen van vroeger: het mislukken van een droom, de schaamte, het zwijgzame kind in zijn hoofd, zijn lichaam dat al zo lang besmeurd aanvoelde en altijd maar wegvluchtte. Maar niet hier, in dit dorp vol kompels en boeren, niet op deze zolderkamer. Nu was hij de baas en zouden ze hem gehoorzamen.

37

Net voor de artsen in het ziekenhuis Pepe ongeneeslijk ziek verklaarden, timmerde hij van restplanken een eenvoudig podium. Ook al reisden er geen cómicos de la legua door Nederland en was hij de enige die erop danste, voor Pepe kon er een oorlog komen. Hij zou de mensen in het dorp de mogelijkheid hebben geboden hun verdriet en armoede te vergeten met eenvoudig toneelspel. Een volksvermaak waarvan het voetgeroffel en ongeremd geschater de scriptschrijvers en intellectuelen van deze tijd zouden doen verstijven.

Maar er komt geen oorlog meer zoals wij die kennen, zegt een man op televisie als ik het apparaat maar weer eens aanzet. Niet zoals we dat eerder hebben meegemaakt, met geweren en soldaten in groene pakken. Als er een Derde Wereldoorlog komt, zullen Amerika of andere machthebbers in staat zijn om met een nieuw soort biowapen een heel ras uit te roeien in plaats van een leger.

Ik geloof hem niet en zet de televisie onmiddellijk weer uit. Zo'n idioot slecht idee heb ik nog nooit gehoord. Een heel ras, vrouwen en kinderen? Weg met die onzin. Mijn hart roffelt in mijn keel en ik verlang opeens hevig naar de eenvoud van Pepes gedichten. Zijn stem om me te kalmeren, ons samenzijn op de bank in de tuin met koffie en tompouces.

Voorbij het einde van het land,
de distels en de boze ogen,
daar is een stilte, lichtblauw, deinend,
daar woon je, en geen mens of meeuw
zal ooit nog roepen dat je weg moet gaan.

Diezelfde dag brengt mijn vriendin Visi een nieuwe cake. Ze is terug van haar vakantie in Spanje. Ze heeft een ham meegebracht en hangt de poot naast de oude in de kelderkast.

Ik vertrouw haar. Ook al zou ze achter mijn rug kletsen of om me lachen. Maar als ik haar wil vertellen over mijn voornemen om terug te gaan naar Spanje, komt er alleen maar onzin uit mijn mond. Ik mopper op de man van de Hoogovens die nog steeds mijn auto niet heeft gemaakt. Ik kakel over de brand in de duinen, het gat in de voortuin, het ongeluk met twee vrijwel nieuwe auto's en de mooie handen van de dokter waarover ik heb gedroomd.

Ze kijkt me lachend aan en vraagt of ik niet een beetje raar word van al dat alleen zijn. 'Weet je wat,' zegt ze. 'We gaan uit, jij en ik. We gaan naar Helena Perez, een zangeres die gedichten zingt van García Lorca. Je zal het prachtig vinden.'

'Wanneer is dat?' vraag ik.

'Geen idee. Maakt het wat uit?'

Ik neem een hap van de cake.

'Je hebt toch geen haast.' Visi houdt haar hoofd schuin.

Ik verpulver de cake tegen mijn gehemelte en kijk weg.

'Wanneer koop je dan de kaartjes?' vraag ik als mijn mond leeg is.

'Gewoon, als ik weet wanneer het is.'

'Ik wil er niet heen als het nog ver weg is,' zeg ik.

Visi heft haar hand.

'Ik bedoel, ik wil wel,' zeg ik, 'maar ik wil niet zo lang wachten, dan gaan we gewoon naar wat anders.'

'Nee, dat doen we niet.' Visi klinkt beslist. 'Het zal je goed doen, Juanita. Helena Perez heeft de stem. Ze zingt zoals jij vroeger zong. En je hebt de muziek nodig, de liederen, voordat je in dit huis in een zombie verandert.'

⌒

Na drie maanden werken in de banketfabriek keerde Pepe alweer terug naar het mijnwerkersdorp. Vanuit de trein zag hij de rokende schoorstenen. Een roedel wolken boven het station. De kinderen herkenden hem nog, meisjes giechelden en opgeschoten jongens spraken hem aan met meneer. Wilden zijn tas dragen. Vochten om hun beurt en waarschuwden voor kuilen in de weg, donkere plassen die het licht van de avondzon weerspiegelden. Ze fluisterden over mannen die verongelukt waren in de mijn, gezinnen die berooid hun huis uit moesten, mannen die hun vrouwen in de steek lieten. En het verbaasde hem, het onhandige gekakel. Waarover werd gesproken in de huiskamers van de mijnwerkers?

Voor de deur van Manolo's huis drukte hij een munt in hun knuisten en stuurde ze weg. Toen sloeg hij de modder van zijn schoenen en stapte het huis binnen.

Niemand. Het was er koud, geen kool in de kachel. De lamp weigerde. Pepe streek een lucifer af en stak de olielamp aan. Hij had dorst maar vond geen water. De hele voorraad eten en drinken leek wel verdwenen uit de keuken, en het zwarte varkentje knaagde de kalk van de muur.

Pepe liep terug naar de kamer. Het was alsof hij de ruimte voor het eerst zag, zoals hij ook vanuit de trein met andere ogen naar het landschap en het mijnwerkersdorp had gekeken: de contouren van de gebouwen, schoorstenen, schachtblokken, de koel- en watertoren, het ketelhuis, de geheimzinnige fonkelende steenbergen en modderige sintelpaden. Het landschap liep naadloos over in de huiskamer waar alleen daglicht naar binnen kon komen door de kieren in de luiken. De naaimachinetafel ontbrak. Waar was Manolo?

Hij vond ze boven: Milagros, de kinderen. Ze lagen bij elkaar in bed maar sliepen niet. Wachtten ze ergens op, zoals Pepe eens met een lege maag wachtte op zijn vader?

Zijn schoonzus stond op. Ze wankelde naast het bed, schoot toen toch verbazend snel de trap af, bang om gevolgd te worden door haar kinderen. Beneden ging ze tegenover hem aan de tafel zitten. De dromerige blik die haar gezicht zo kenmerkte had plaatsgemaakt voor een troosteloze uitdrukking. Ze trok nerveus aan haar vingerkootjes en vertelde over het wachten, de huur die ze niet kon betalen waarop de burgemeester haar naaimachine had meegenomen, het geld voor meel waar ze hun laatste brood van had willen bakken.

'Als Manolo niet terugkomt, staan we op straat, dan moet ik terug naar mijn ouders.' Ze sloeg haar handen voor haar gezicht en haar lichaam schokte.

'Heeft hij gezegd waar hij heen ging?'

'Ergens in de bergen hebben ze een ader ontdekt.' Milagros' stem klonk hees. 'Daar gaan ze een nieuwe mijn openen en Manolo hoopt dat hij de leiding krijgt.'

'Waar?'

Ze haalde haar schouders op zonder haar gezicht te laten zien.

'Wanneer is hij weggegaan?'

'Hij zou terug zijn voor de laatste huur moest worden betaald, nu vier weken geleden.'

Pepe vloekte. Hij wilde Milagros' handen vastpakken om haar te troosten, maar realiseerde zich dat het haar schaamte zou vergroten: Pepe was de jongste, hij was degene die tegen hen op moest kijken, naar hen luisterde.

Hij stond op, greep naar de kit om kolen te halen voor de kachel, maar Milagros schoot uit haar stoel en hield hem tegen. Het kolenhok was al dagen leeg en ze probeerden zich, nu de winter nog niet was ingevallen, warm te houden met dekens.

Toen trok Pepe zijn schoenen aan. Even zag hij paniek in haar ogen, maar hij stelde haar gerust, klopte op de portemonnee in zijn zak en beloofde terug te komen met kolen, brood en koffie. Zijn schoonzus bloosde, maar hij deed alsof hij het niet merkte. Toen knikte ze en er gleed iets van opluchting over haar gezicht.

Nu Pepe er was, leek ze een hernieuwde kracht te hebben gevonden. Ze waste zich, kamde haar haren en stelde voor om het varkentje te slachten. Als ze het vlees deelden met de buren, kon ze voor een paar dagen de kinderen bij hen onderbrengen om op zoek te gaan naar haar man.

Het varkentje was niet zwaar, zo'n tien kilo, schatte Pepe. Het dier voelde aan wat er ging gebeuren, en rende als een gek door het kolenhok. Een gegil dat het hele dorp wel moest horen. Pepe droeg een overall van Manolo en hield het beestje stevig onder zijn arm. De zorgen hadden van zijn schoonzus een vrouw gemaakt die zonder aarzelen het mes uit de keuken haalde en de emmer klaarzette om het bloed op te vangen.

Verbazend makkelijk drukte Pepe het mes door het vlees, de halsslagader, naar het hart. Het varken worstelde onder zijn arm, zijn bloed spoot in de emmer. Toen strekte het dier zich, huiverde een paar maal en hing stil.

Milagros roerde met een houten lepel door het bloed om stollen te voorkomen. Het dromerige keerde terug op haar gezicht, de rust die haar zo kenmerkte toen Pepe haar had leren kennen. De honger was voorlopig verjaagd en de kinderen zouden weer goed eten krijgen.

Pepe hing het varken aan een dwarsbalk en schraapte de meeste haartjes van de huid. Het opensnijden van de buik kostte geen moeite, maar de stank van de ingewanden deed hem bijna vluchten. Waarom was die hem nooit opgevallen tijdens het slachten, die doordringende geur van bloed en verteerd voedsel? Had de honger hem als kind in staat gesteld om alles wat smerig was ook te verdragen?

Milagros ving de darmen op en begon ze meteen leeg te drukken. Met behulp van een stok keerde ze ze binnenstebuiten, spoelde ze in lauw water, schraapte ze schoon en liet ze weken in water met azijn waardoor de vieze geur verdween en ze mooi wit werden.

Pepe nam het karkas mee naar de kamer en hakte het doormidden. Het varken was klein, maar leverde twee hammen op, twee reeksen ribben, het varkensmasker en genoeg restvlees om te pureren. Zonder te rusten werkten ze door. Bloedworst met spek. Chorizo met zout en pikante paprikapoeder waardoor het vlees snel ging drogen en onmogelijk kon gaan rotten.

Die avond smulden Pepe, Milagros en de kinderen van gebakken hart en lever. Ze aten er brood bij, dronken wijn terwijl de kolenkachel brandde en de worsten als jachttrofeeën aan de balken te drogen hingen.

Diezelfde nacht nagelde Pepe de overste en broeder Esteban aan een kruis. De paters smeekten om vergiffenis, maar hij sneed ze open met trefzekere hand, ving het bloed op dat uit hun buiken gutste. Zorgvuldig verwijderde hij de ingewanden, castreerde de mannen en liet hen besterven tot het vlees uitgebeend kon worden. Hij zong en het jongenskoor viel in, cirkelde om hem heen. Er was een antwoord op dat afschuwelijke, zijn lichaam dat ze van hem hadden afgenomen, zijn droom. De oplossing was simpel: de hemel was voor de man die durfde te slachten, de hel was voor de heiligen.

38

'Ergens in die periode moet ik ouder zijn geworden. Sterker
ook.'

Pepe sprak rustig, die middag. De koorts was gezakt en het
ademhalen leek hem minder moeite te kosten. Hij at een halve
appel, dronk thee terwijl ik keek naar zijn ingevallen wangen
en toch nog hoopte op een wonder, een aanraking van de zoon
van de Maagd die zich niets aantrok van mijn scepsis jegens
hem.

'Opeens waren er dingen die me gemakkelijk afgingen.'
Pepe glimlachte. 'Ze hadden me nodig, mijn schoonzus en
haar kinderen die op hun vader wachtten, zoals ook ik ooit op
mijn vader wachtte.'

Ik pakte de beker niet aan die hij terug wilde geven. 'Neem
nog een paar slokjes. Je mag niet uitdrogen. Het is goed voor
je.'

'Uitdrogen?' Hij keek me aan alsof ik gek was. 'Ik wil praten, cariño, dat is goed voor me. Ik zal proberen duidelijk te
zijn. Zo lang zal het niet meer duren.'

Een kar rolde geruisloos de kamer binnen, bladen met vers
brood en fruit. Een kom met licht verteerbare yoghurt. Een
zuster met lachende ogen.

Hij gebaarde haar weg, liet zich achterover zakken, half
tegen me aan. Een kind dat geen eten wil, alleen een hals zoekt
om zijn neus in te drukken.

'Ik had Javier zo graag nog eens gezien, Juani. Ik had me in dat klooster geen betere vriend kunnen wensen.'

∼

Er waren meerdere nieuwe mijnwerkersdorpen in de streek, en in een daarvan vond Pepe zijn broer aan een bar. De sidrería was nagenoeg leeg. Een plank vol groene flessen, Santa Barbara ertussen in een roodroze schemer. Pepe was opgelucht dat Milagros buiten wachtte. Zijn broer leek nog redelijk aanspreekbaar, maar er hing een vrouw tegen hem aan met wangen en borsten als verschrompelde granaatappels. Manolo's ogen weigerden hem aan te kijken en zijn haren plakten onverzorgd om zijn gezicht.

Pepe schaamde zich. Al die tijd was die idioot zo dichtbij, maar hij liet zijn vrouw en kinderen liever verhongeren dan dat hij de drank liet staan. Hij greep Manolo bij zijn schouder en trok zijn broer mee naar buiten.

Het daglicht maakte alles alleen maar erger, alsof ze naakt waren en geen idee hadden hoe ze zich voor elkaar moesten verbergen. Milagros zweeg, Manolo kauwde op iets. Hij stonk naar bier en de muffe zoetheid van de andere vrouw.

De zon wees Pepe zijn plaats. Hij wendde zich af, controleerde zijn tas, de knoop in het koord, de scheurtjes in het leer, de randen die omkrulden als oude koolbladeren. Hij rook de worst, alles zat er nog in.

'Waar was je?' Milagros sprak zonder lippen.

'Waar dacht je, hier natuurlijk, godverdomme.' Manolo mompelde, zijn klompschoenen waren belangrijk, schuurden over een stoep die nodig geveegd moest worden. Iemand had er planten in potten neergezet en daar daarna nooit meer naar omgekeken. 'Ik heb een nieuw huis voor ons.'

'Alles hebben ze meegenomen.' Milagros keek hem strak aan. Ze begon hoorbaar te ademen. 'Mijn naaimachine, je zakhorloges, onze zwarte...'

'Onze zwarte?' Manolo leek in één klap wakker. Hij kneep met zijn ogen, deed een stap naar haar toe en snoof. 'Hoe heb je dat kunnen toelaten, stom wijf. Dat beestje brengt ons geluk, weet je nog?'

Pepe bedwong de neiging zich ermee te bemoeien. Waren ze gek geworden? Bracht dat kleine mormel geluk? Een varken? Geloofde zijn broer dat echt? Sprakeloos staarde hij naar zijn broer, naar de drift in zijn ogen die hij zo goed kende van vroeger, de woede die als een zwavelvlam omhoog kon schieten en alle logische gedachten onmiddellijk zou afbranden.

De slacht. Manolo zou haar slaan als hij te weten kwam dat zij degene was die het had voorgesteld. Pepe moest iets doen om dat te voorkomen. Milagros had al genoeg meegemaakt, de laatste tijd. Dat stomme varken bracht pas geluk toen hij er het mes in had gestoken.

'Je moet bij mij zijn.' Hij liep naar hen toe en keek zijn broer vorsend aan. Voor het eerst van zijn leven was Pepe niet bang voor iemand die ouder en groter was. Iets in zijn hoofd had hem sterker gemaakt. Een plan, een inzicht. Hij trok de knoop los van zijn tas, haalde de worst tevoorschijn. 'Hier is je zwarte, jullie geluksbrenger. Ik heb hem geslacht omdat je kinderen anders doodgingen van de honger. Maar je schijnt je meer zorgen te maken om dat mormel dan om je eigen zoons.'

Alles kwam voorbij op het gezicht van zijn broer. Even dacht Pepe dat hij hem zou aanvliegen. Toen veegde Manolo zijn mond af alsof hij net een glas cider achterover had geslagen en greep naar de worst.

'Jij, Pepin? Heb jij ons beestje geslacht?' Hij zwaaide met de worst, kneep erin alsof hij het vlees keurde. Toen begon hij te grinniken. Hij sloeg zich tegen de borst en kon niet meer ophouden met lachen. 'Ons broertje, ons flikkertje hier heeft een varken gekeeld.' Zijn andere hand beukte op Pepes schouder tot die ook meelachte.

Milagros aarzelde, keek van de een naar de ander, bang dat alle vrolijkheid onverwacht zou omslaan in woede en drift. Toen gaf ze zich gewonnen en schaterde ongeremd mee. Een lach die hun naaktheid bedekte, gedachten verhulde die beter niet uitgesproken konden worden tussen hen drieën. Voorbijgangers bleven staan, grijnsden zonder te weten waar het over ging.

'Kom.' Manolo wenkte en hoestte. 'Kom, we gaan naar ons nieuwe huis.'

Bijna aarzelend schreef Pepe weer een gedicht.

Hij werd een mier, een geleedpotig beestje dat hoorde bij een stam, woonde in een kolonie en mee rende met de andere mieren op zoek naar voedsel en een voorraad voor de winter. Manolo beloofde zijn spaargeld op een bankrekening te zetten, maar betaalde er eerst de schulden mee af die hij bij verschillende kroegen had openstaan. Er bleef niets over voor Pepes terugreis naar de stad en de banketfabriek.

Pepe legde zich erbij neer zoals iedereen in het nest zich neerlegde bij de grillen van de koningin. Waarom zou hij nog teruggaan? De steenkoolader waar Manolo aan werkte, bleek veelbelovend. Er zouden meerdere mijnschachten worden geboord en Pepe trok in bij zijn broer en schoonzus en werkte als lader in de ochtendploeg van de mijn: kwart voor vier opstaan, drie uur thuis. Met een tiental kompels werd hij opgesloten in de smalle kooi van de lift. Een helm op zijn hoofd, een trommel brood met braadvet aan zijn riem en een blik water. Hij voelde de druk op zijn oren toen de lift naar beneden zakte, de vreemde prikkeling in zijn maag bij het afremmen, alsof de stalen kooi weer omhoog veerde, tot het ding de bodem vond en het stalen hek openschoof.

Dit was heel anders dan een banketfabriek. Dit was de binnenkant van de aarde, een onderwereld die hem opslokte in een oorverdovend lawaai, een stoffige branderige lucht. Een stelsel van tunnels waar de kompels gebukt door kropen tot ze eindelijk bij een gitzwart kolenfront kwamen, waar het zwaarste werk werd verricht. Geen tijd voor gedachten, verveling of getreiter. Geen witte pop die hem bevelen gaf en vernederde. Boven de grond hing een zon die alles akelig duidelijk blootlegde, maar onder de grond golden andere wetten. Pepe liet zich vallen zonder te verdrinken en vond geen woorden die dat gevoel konden beschrijven. De ploeg nam hem op. Het kolengruis maakte hen tot gelijken, zwart en zwetend in een oorlog vol kruitdamp en explosies, klompschoenen en knielappen, drilboren en pikhouwelen. Hij werd een bloedmachine die zich boog en kolen schepte, de zwarte massa over zijn schouders naar de volgende lader wierp tot aan de transportband. Zijn adem werd stof. Zijn lijf besmeurd met een vuil dat zijn schaamte bedekte, de brand in zijn borst, het verleden dat hij zo graag anders had willen zien. Hij voelde zich er veilig, ondanks de dreiging, het instortingsgevaar, het mijngas, de stofziekte waardoor de mannen alleen nog rechtop konden slapen en al jong stierven omdat hun beroete longen geen schone lucht meer konden inademen. Het maakte de kompels tot kameraden. Hun groet bij de mond van de put. 'Kijk maar of je geluk hebt, vandaag. Als je doodgaat vertel ik het wel aan je vrouw.'

De pijn nam af naarmate zijn lichaam wende aan het werken in een ongewone houding. Het duurde even voor hij zich gewonnen gaf, na zijn dienst in het badlokaal, waar de kompels elkaars rug schoon schrobden, lachten en grappen maakten, maar toen voelde hij zich als herboren, liet de haak met zijn kleren zakken en kleedde zich zorgvuldig. Geen stadse fratsen meer, geen mensen uit zijn verleden die hem konden kwetsen. Hij was een man die niet meer met zich zou laten sollen.

Dit is het diepe, zwarte huis
waar stof op alle schouders ligt
en vogels sterven in hun kooi.

Hier zijn de gangen laag en smal.
De lampen gloeien en je ziet
hoe muizen vluchten voor het gas.

Het stof kruipt in je neus, je mond.
Wie jaagt die oude branden aan,
wie strooit er gruis op wittebrood?

Dit is je diepe, zwarte huis.
Hier woon je met je dertig broers,
die hoesten, zweten, naar je lachen.

De deur gaat open, elke dag.
Je loopt weer in de scherpe zon.
Je draagt je blikkerende mes.

39

Nog voor het rustuur in het ziekenhuis begon, ging Pepe rechtop zitten in zijn bed en schopte het laken van zijn benen.

'Ik had me voorgenomen om onder de grond te blijven toen ik eenmaal in de mijn werkte.' Pepe verlegde zijn arm met het slangetje, de naald die hem irriteerde en die met extra pleisters was vastgezet. 'Maar toen zag ik jou, cariño, ook al wilde je dat eerste jaar nog niets van me weten.'

Hij grinnikte toen hij de jongensachtige versiertruc aanhaalde – het bedelen om een dans – die bij mij juist het tegenovergestelde had bewerkstelligd. Nog geen week later werd hij aangenomen, de jongen die als zevenjarige al copla's verzon en de verleiding niet kon weerstaan om te solliciteren bij ons theatergezelschap. Hij was zelfs bereid het werk in de mijn ervoor op te geven, waar hij meer betaald kreeg.

⁓

Alle lampen brandden in de kleine theaterzaal van het mijnwerkersdorp waar de voorstelling zojuist was beëindigd. De jonge kompel die kwam solliciteren moest op het kale podium gaan staan terwijl de artiesten als publiek plaatsnamen op de voorste rij – dat had mijn moeder ingevoerd bij alle audities. Speciaal voor deze voordracht had ze een verkorte dialoog uitgeschreven voor Leonardo, de vroegere geliefde van de bruid in *Bodas de sangre*. Niet eerder hadden we zo'n jonge sollicitant gehad bij ons gezelschap, en iedereen was nieuwsgierig. De mannen rookten en Lola en ik smoesden, wat Pepes nervositeit alleen maar erger maakte.

De rol van de bruid werd gespeeld door José, die grijnzend een witte sluier om zijn hoofd sloeg. Het zou hem geen enkele moeite hebben gekost als hij ook de jurk had moeten dragen.

Toen kwam mijn moeder naar voren. Ze klapte kort in haar handen.

'Uw aandacht graag voor onze fameuze acteur José Obiols en zijn tegenspeler voor vanavond: Pepe Castro Montes.'

De jongeman haalde diep adem en richtte zich op de acteur in de sluier, een bruid die moest trouwen met een man voor wie ze niets voelde. Hij pakte haar hand, trok haar naar zich toe en sprak als vanzelf de zinnen die hij uit zijn hoofd had moeten leren: de bruid moest toch inzien dat de mensen haar dwongen tot een leven waar ze zelf niet voor zou kiezen. Hij hief zijn hoofd en leek haar oprecht te willen overhalen met hem weg te vluchten, haar te behoeden voor de macht van families, de kerk, het verdriet van een verleden dat door het spel opeens zo serieus dichtbij kwam.

De laatste zin kwam te snel. De stilte viel op, het geruis van de lampen, de ademhaling van de twee acteurs op het podium. Toen pas leek hij zich te realiseren dat de vrouw in zijn armen een man was die een kus op zijn wang drukte. José stapte achteruit en applaudisseerde luid. Het klappen van de overige acteurs schudde Pepe wakker en hij stampte met zijn voeten om zichzelf terug te vinden, streek met beide handen door zijn haar en bloosde.

We waren het eens. Unaniem.

Het werd kouder, die eerste winter met Pepe in ons gezelschap. De valtijd van de bladeren was voorbij en de dagen eindigden in een witgrijze schemer. Aan de kust trok de noordenwind met harde stoten over de vlaktes en bracht sneeuw en regen mee. De schapen waren onzichtbaar geworden. Een enkele boom die had doorgezet werd tegen de grond geslagen en zelfs de mannen klaagden.

Die avond kwamen we terecht in het huis van een eenvoudige boerenvrouw. De wind joeg langs dorpels en vensters, en alleen in de keuken brandde een vuur. De kookplaats was een uitgesleten plek in de vloer. Een pot aan een ketting en een gat in het dak. Kleden werden uitgespreid over de kleivloer, en iedereen nam plaats in een kring op de grond. De wijn ging rond en de mannen zongen terwijl mijn moeder de pot vulde met etenswaren uit haar rugzak: kekers, stukken pens, lever, buikspek, jamon en chorizo. Uit kruikjes klopte ze kruiden en pikant paprikapoeder. Toen overgoot ze alles met water en wijn, sneed uienringen tot haar ogen rood zagen van het huilen en José voorstelde om tarotkaarten te leggen. Haar tranen zouden perfect passen bij de toekomst die ons te wachten stond. Hij sloeg een doek om zijn hoofd, droeg voor met zijn hand tegen zijn borst.

Mijn man is gestorven.
De klokken gaan luiden,
de rouwstoet is lang
en ik ben in tranen –
ze biggelen over mijn wang.

Vandaag leef ik op,
al zeggen mijn lippen
de droefste gebeden.

Voordat ik van huis ging
heb ik snel nog wat uien gesneden.

Iedereen lachte en klapte.

'Alé! Kom maar op.' Mijn moeder schraapte de uiensnippers van de snijplank in de pot en gaf de lepel over aan Soledad. Er werd plaats voor haar gemaakt in de kring, en de eigenaresse van het huis ging achter ons op een stoel zitten om mee te kunnen luisteren.

Mijn moeder knipperde haar ogen droog. Ze schudde de kaarten die ze aangereikt kreeg, spreidde ze in een halve cirkel uit op het kleed, en iedereen zweeg toen ze haar ogen sloot. Een voor een trok ze de kaarten uit de cirkel en legde ze in een rijtje. Daarna zweefde haar hand als in een bezwering over de gekozen kaarten en draaide ze om.

'U hebt een zoon, señora.' Mijn moeders blik richtte zich op onze gastvrouw bij de tafel. 'Maar de man die hij zijn vader noemt is niet zijn echte vader.'

De vrouw bij de tafel schrok zichtbaar, maar haar nieuwsgierigheid was gewekt. Ze lachte en sloeg met haar hand op het tafelblad. 'En wie mag dan wel de echte vader zijn, señora? Kunt u mij meer vertellen dan ik zelf weet?'

Opnieuw sloot mijn moeder haar ogen en herhaalde het ritueel. Ze bekeek de afbeeldingen op de kaarten zorgvuldig en schoot nu ook in de lach. 'Vergeef mij mijn onkunde, maar volgens deze oude kaarten is de vader van uw zoon de pastoor van dit dorp.'

De spottende lach van de vrouw was weg. Het hout onder de pot spuugde vonken en ze sloeg haar handen voor haar gezicht. Even was ik bang dat ze in huilen zou uitbarsten. Maar iedereen klapte en zelfs mijn vader glimlachte trots. José riep dat er nergens in Galicië een actrice te vinden was met zo'n levendige fantasie als Asunción. Hij ging staan en boog voor haar.

'En wat heeft deze vermaarde kaartlezeres te melden over mij?'

De kaarten gaven antwoorden die niemand serieus leek te nemen. David liet zich dramatisch achterover vallen bij de voorspelling dat José hem in de steek zou laten, en mijn moeder beweerde dat ik pas als oude vrouw beroemd zou worden. De pot met callos borrelde en dampte. Er werd gelachen en geklapt en de wijn maakte alles nog luidruchtiger. Toen was de beurt aan Pepe.

'Kijk eens aan.' Mijn moeder boog zich naar hem toe en raakte zijn hand aan. 'Jij denkt dat je vader gestorven is, Pepe, maar in dezelfde stad waar je moeder woont, zit deze casanova springlevend naast een andere vrouw aan tafel.'

Mijn moeder knipoogde en deed alsof ze Pepes verbijstering niet opmerkte. Met haar volle hand sloeg ze tegen zijn wang, hield hem bij de les.

'Het is allemaal onzin, jongen. Je denkt toch niet dat een door mensenhanden getekende kaart je kan vertellen hoe de werkelijkheid in elkaar steekt? Madre mía, Pepe.' Ze schoof de kaarten bij elkaar, hield ze even tussen haar handen alsof ze het stapeltje opwarmde en schoof ze daarna terug in de doos.

'Kom, help me even. We gaan maar eens opscheppen.' Met een zachte stem droeg ze een copla voor die ik niet eerder had gehoord.

Het leven is een gebroken uienring: van niets naar niets,
en even snotterig als de aanvang is het slot.
Je lacht en zingt? Je danst met madeliefjes in het haar?
Ga nu maar uien snijden. Tranen zijn je lot.

40

'Waar denk je aan?' Pepe schudde aan mijn arm.

'Niks.'

'Je zat aan iets te denken. Dat zie ik toch.'

'Misschien had ik jou meer nodig dan jij mij. Daar dacht ik aan.'

'Wat bedoel je?'

'Toen we verkering kregen.'

'Je bedoelt dat ik net zo goed met een ander had kunnen gaan?'

'Zoiets.'

'En jij niet?'

'Nee, ik niet.'

'Dat had ik eerder moeten weten.'

'Ga fietsen.'

~

Het zou nog een jaar duren. Pas na die idiote dans in het lege theater volgde ik hem onopvallend. Ik zag hoe hij zich waste. Het vel moest eraf, zijn mond gespoeld, zijn kleren verwisseld, soms tweemaal per dag. De absurd schoon geschrobde Pepe leerde zijn toneelteksten, at met de andere acteurs, repeteerde onder leiding van mijn moeder en oefende zijn voordrachten met mijn vader. Hij droeg gedichten voor van Lorca,

Borges en Machado, en teksten van eigen hand: copla's, poëzie die iets vertelde over zijn verleden en waar ik opeens heel anders naar luisterde.

Wie was de gravin over wie hij als kind al een gedicht had gemaakt?

Zij heet gravin en zij doet wonderen
wanneer je zwijgt en nette kleren draagt.
De woorden uit de bergen, verstop ze in je keel.
Buig voor de vrouw en je bent rijk,
ze legt haar gouden munten in je hand...

Ik kende de mimiek van zijn gezicht, bewegingen die typerend waren voor zijn spel. Hoe vaak had ik hem aangeraakt op de planken en toch nooit echt gevoeld, nooit echt geluisterd.

Na de voorstelling van die avond draaide mijn vader platen met moderne dansmuziek. Ik zag hoe Pepe voortdurend van partner wisselde. Hij wist hoe te dansen, waar zijn handen te plaatsen.

Ik snauwde de dorpsjongens af, verschool me achter toneelgordijnen.

Het meisje met wie hij meerdere malen danste was een nimf met schuwe ogen. Naarmate hij haar aandacht gaf leek ze de verlegenheid van zich af te schudden. Een lach verscheen die iets deed met het licht, haar houding, de knoopjes van haar bloes.

Ineens waren ze beiden weg. Ik nam de achterdeur. Net op tijd zag ik ze het plein oversteken, een smal pad op gaan. Volle vlieren, hazelaars waar ik me achter schuilhield als Pepe bleef staan voor een aanraking, een voorzichtige zoen die me stak als een angel.

Een slome bocht. Een kapel. De Maagd van Covadonga in een ring van bloemen, drie kindengeltjes onder haar rok. Ik zakte op mijn hurken. Het was Pepe die iets zei en het meisje knielde neer in het gras. Ze leek te bidden, haar hoofd gebogen terwijl zijn handen langs haar hals gleden, het kraagje van haar bloes opzijschoven waarvan ze zelf een knoopje had losgemaakt. Even dacht ik dat ze haar hoofd hief, aanstalten maakte om te gaan staan. Maar Pepe hurkte naast het kind en zei dingen die haar blijkbaar overhaalden, want ze bleef toch zitten terwijl hij toekeek hoe zij aarzelend haar bloes verder losknoopte.

Was hij gek geworden? Wat was dit?

De mouwen gleden langzaam van haar armen. Pepe zei iets en het meisje sloeg een kruis, kwam omhoog, zakte toch weer terug door de dwingende hand op haar schouder. Er was niets overgebleven van de zwijgzame jongen, de onhandige sukkel met de windsels aan zijn voeten.

Takken priemden in mijn huid. Ik wilde dit niet zien, sloop dichterbij. Een weesgegroet eiste hij en het leek erop dat ze gehoorzaamde. Een zacht geprevel. Een greep in haar krullen. Trok hij haar hoofd achterover? De maan liet in een fractie van een seconde zijn andere hand zien die haar meisjesborsten verkende onder het witte hemdje, voorjaarsbolletjes. Het geluid van een kledingstuk dat scheurde.

Waarom rukte ze zich niet los, liep ze niet weg?

De maan zette door, toonde me handen die ik naar me toe had willen trekken. Wat moest hij met een griet die voor hem knielde? Ik zou nooit voor hem knielen, laat staan een kruis slaan op commando.

Het duurde een eeuwigheid voor Pepe ging staan. Mijn benen waren verkrampt toen ik zag hoe hij haar optilde en met het halfnaakte kind in zijn armen over het gras danste. Wiegend als door de wind. Blauwe rekwisieten, de Maagd in haar huis van planken. Zijn stem neuriede, droeg voor.

Je hebt geknield, je hebt gezongen.
'O Maagd van Covadonga, wees gegroet.'
De woorden zijn als trage vogels weggedreven.
'O Lieve Vrouwe van de Bergen,
die onze kinderen behoedt
voor honger, ziekte en gevaar.'
Je hebt de steentjes van je knie gewreven.

Eindelijk zette hij haar neer, voorzichtig, hielp met aankleden, pootjes door mouwen, knoopjes door knoopsgaten.

Ik sloop het pad af, zo dicht mogelijk langs de struiken. Ze waren verknipt, die twee. Bij de dorpsweg begon ik te rennen, terug naar de zaal, naar mijn moeder, voor ze ontdekte dat ik weg was.

41

José nam wraak met een mime, een spontane act waar mijn moeder achteraf niet over te spreken was. De kompels die hem hadden vernederd in de sidrería kwamen met hun vrouwen naar de voorstelling en hij schetste spontaan een karikatuur van hun dagelijks leven. Naadloos imiteerde hij het opstaan in de ochtend met gapen, krabben en pissen. De manier van eten, het prakken met een arm om het bord, hun malende kop. Hij schoor zich voor een spiegeltje dat steeds opnieuw besloeg, veegde driftig het glas schoon en ontdekte puistjes en neusharen die met de nodige klungeligheid moesten worden uitgeknepen of uitgetrokken. Aangemoedigd door het gelach in de zaal imiteerde hij het in slaap dommelen van de kompels na hun werk: mond open, hand in de broek, het plots wakker schrikken en met stoel en al omvallen. Toen hij ook hun jongensachtige hitsigheid voor het slapengaan naspeelde, roffelden de vrouwen met hun voeten en schaterden van de lach. Vanaf het podium wierp José kushandjes naar de potige stier die zijn hoofd in het zweterige kruis had gedrukt. Hij speelde de scène na, acteerde dat hij flauwviel van de stank van het grove lijf en imiteerde de mannen die eromheen stonden met debiel lachende gezichten en sullig schokkende schouders.

Het was licht, te gemakkelijk. Ik zag mijn moeder naar mijn vader kijken en haar hoofd schudden. De stier stond op en de toeschouwers werden stil. Zijn vuisten balden zich en de vrouw naast hem deed tevergeefs een greep naar zijn broekriem toen hij aanstalten maakte om naar het podium te lopen. Met bonkende passen liep de kompel naar voren en bleef voor het podium staan waar José de controle over zijn act leek te verliezen. Toen vertrok de muil van de kompel zich tot een grimas alsof hij iedereen in de maling had willen nemen en hij applaudisseerde uitbundig. De overige kompels roffelden als vanzelfsprekend met hun voeten en de vrouwen juichten voor José, die boog als een zwiepende boomtak en zich gehaast terugtrok.

Pepes zus Fina kwam naar een van de voorstellingen, en we konden zien dat ze verrukt was van haar broers optreden. Na afloop sloeg ze haar armen om Pepe heen alsof ze hem niet meer wilde loslaten. Kleine handen die bijna beschermend op zijn schouders lagen, maar Pepe was duidelijk anders.

Eindelijk liet zijn zus hem los en deed een stap naar achteren. Ze had dezelfde gelaatstrekken als haar broer. In tegenstelling tot Pepe leek ze niet om kleding te geven. Ze droeg een gekreukte broek en een vaalgrijs vest.

'Dus je hebt een zus.' Mijn ouders waren verbaasd, ze kenden alleen Manolo die in de mijnen werkte. Over zijn andere broers en zussen had Pepe nooit gesproken.

Mijn vader kuste Fina's hand en wees beschuldigend naar Pepe. 'Die rare kwast hier vertelt ons nooit iets.' Mijn moeder nodigde Fina uit een paar dagen bij het gezelschap in het pension te blijven. Ze bemachtigde twee geitenkoppen, stoofde de schedels in hun geheel in de oven en maakte er een uitgebreide maaltijd van. Er werden tafels tegen elkaar geschoven. Cider en wijn, schalen chorizo, kaas en versgebakken brood. De kamer dampte. Glazen werden geheven.

Fina was meer dan welkom, en Pepe leek zich langzaam te ontspannen.

De volgende ochtend kwam Fina de huiskamer van het pension binnen en bleef voor haar broer staan. Handen in haar zij. 'Ik wil dat je meegaat.'

'Schreeuw niet zo.' Pepe fluisterde. 'Er zijn nog meer mensen in dit huis.' Toen stond hij op en beende door de gang naar de keuken.

'Verdomme, Pepin. Het is onze vader.' Fina liep achter hem aan. Haar stem bleef even scherp, waardoor Lola en ik opstonden en de gang in slopen. Kennelijk sloeg deze vrouw met haar vuist op het tafelblad om haar zin te krijgen als het tegenzat.

'Ja, en?'

'Doe het voor haar, voor onze moeder. Ze heeft genoeg ellende meegemaakt en we kunnen haar niet alleen laten gaan.'

'Wat moet ze nog met die man?' Ik hoorde Pepe zuchten.

'Die man interesseert me niet, Pepe, maar als dat is wat ze wil, dan laat ik haar niet in de steek. En jij ook niet!' Fina's stem klonk zoals die ook vroeger moet hebben geklonken toen ze haar broertje dwong naar haar te luisteren.

'Ik kan niet gemist worden. We hebben een voorstelling.'

Lola siste bij die leugen, maar ik greep haar arm. Het zou idioot zijn als we onszelf nu zouden verraden.

'Ze laten je heus wel gaan en we zijn binnen een dag terug.' Fina liet zich niet afschepen. Het was waar wat ze zei. David zou Pepes plaats in kunnen nemen, het gebeurde wel vaker dat een ander inviel. Pepe wist dat ook, maar hij voelde er blijkbaar niets voor om met zijn moeder mee te gaan naar een vader die dus helemaal niet dood was zoals iedereen geloofde.

'Je bent hard, Pepin. Na alles wat we samen hebben mee-gemaakt. Dit had ik niet van je verwacht.'

De ochtendzon bereikte het keukenraam, brak door naar de gang. Ik stapte achteruit op Lola's tenen, waardoor we elkaar vastgrepen om staande te blijven. Dit hadden we nooit mogen horen.

'Luister, Fina. Ik heb altijd gedacht dat die man dood was. Waarom zou ik meegaan naar een lafaard die ons in de steek heeft gelaten voor een ander? Je zegt zelf dat hij ook al een gezin had voor hij met moeder ging, en dat hij nooit getrouwd is geweest.'

Ik probeerde niet naar Lola te kijken. Het was flauw dat we hen afluisterden. Dit was geen sketch om ons te vermaken, dit was echt.

Een deur klapte, er kwamen mensen binnen, luidruchtig stommelend.

De stem van Pepe werd schor en zacht. 'Ik ben een lafaard, Fina. Maar ik hoef geen vader meer. Die zoektocht is voorbij.'

'Je bent geen lafaard. Ik weet niet wie je dat heeft wijsge-maakt, maar dat is een leugen.' Er schraapte iets over de vloer, sussende geluiden. Een neus werd opgehaald en ik moest aan de tarotkaarten denken, mijn moeders voorspellingen waar-mee ze waarschijnlijk haar vermoedens had uitgesproken, Pepes verbazing die hij zo moeilijk had weten te verbergen.

Lola kneep in mijn arm en we draaiden ons tegelijkertijd om. Weg hier.

'Weet je nog, Fina?' De stem van Pepe, vrolijk opeens. Een lach als van een jongen tussen koeien, een bergwei, wijzend naar een dorp in de verte, een kerktoren.

Op zondag, bij het eerste licht,
wanneer de klokken luiden,

trap ik een vlinder plat.
Op zondag, als de priester zingt
en God de Vader prijst,
knijp ik een rups tot moes.

42

In het ziekenhuis werd Pepe somber toen hij vertelde over de reis van het gezelschap naar de stad waar hij had gewoond en zijn terugkeer naar het klooster. Hij krabde zijn arm open rond de naald van het infuus, sprak met een hese stem over de stervende man in zijn cel, en gebaarde met bloed aan zijn vingers.

'Als ik hem morgen tegenkom, doe ik het weer.'

'Wat bedoel je?'

'Hem doodmaken.'

'Hij is al dood.'

'Dan maak ik hem weer dood...'

'Je hield van die man...'

'En daarna nog een keer.'

Pepe huilde niet, hij lachte, zijn uitgemergelde borstkas moeizaam schokkend.

'Dat daar werd eindelijk weer van mij, Juanita.' Hij trapte het laken weg, wees naar zijn stakerige lichaam in de pyjama. 'Begrijp je dat? En daarom zou ik het weer willen doen, nog eens, en nog eens.'

De man naast Pepe werd op een postoel geholpen. Broek op aderknieën. Een opgezwollen buik.

Ik schoof mijn stoel achteruit, legde het laken terug over Pepes benen en stopte het voeteneinde zo strak in dat hij het voorlopig niet los kon woelen. 'Je weet niet wat je zegt.' Een doordringende stank. 'Ga slapen. Straks denk je er heel anders over.'

⌒

Die middag maakte Pepe de donkerste gedichten van zijn leven. Hij keerde terug naar het klooster, op zoek naar de mannen in de bruine pijen van wie niet een hem herkende. De aanwezige broeders gedroegen zich schuw of interesseerden zich niet voor een bezoeker.

Een nog jonge pater voerde hem mee langs het klaslokaal vol jongens, toonde met trots de voor Pepe zo bekende boekbinderij, de witbepleisterde kapel met het altaar, het schilderij van de *Hemelvaart van Maria* bij de koorlambrisering, en de bloedende Jezus met de smalle lendendoek die nog steeds zijn afkeer wekte. Ze betraden de gang met cellen en kwamen langs de kamer waarin een oude pater op sterven lag.

Op de kleine begraafplaats zocht Pepe zwetend de stenen af. Hij vond oversten uit de tijd voor hij geboren was, maar geen broeders met namen die hem bekend voorkwamen. Het viel hem op dat er een tiental jongens lagen die niet oud waren geworden.

Adrian Rodríguez Rey 1932-1944, Javier Castillo Riveros 1938-1953.

Pepe wilde wegstappen van het graf, maar de zon drukte hem neer. Lag Javier daar? Zijn lange vriend die iets met hem had gedeeld waar ze nooit meer over zouden praten?

Pepe zakte door zijn knieën en groef zijn vingers om de steen alsof het een bladzijde van een boek was. Daar stond het: *Javier, 1938-1953.* Gegraveerde letters waar hij zijn voorhoofd tegenaan legde, nauwelijks ademhalend.

Duizelig kwam hij overeind, greep de arm van de broeder.

Een zwaar gezoem. Zijn kop leek te barsten in de hitte.

De broeder gebaarde vaag. 'Er was een incident, nog voor mijn tijd. Ik weet niet precies wat. Iedereen zwijgt erover.'

'Een incident?'

'Het had te maken met de voormalige overste. De jongen draaide door, en de priester is later overgeplaatst naar een andere orde.'

Het zoemen zwol aan. De tijd van hoornaars, vele malen groter dan een gewone wesp. Een razende horde die door zijn lichaam sloeg. Waar waren Ricardo en Juan? Moest hij nog meer stenen lezen om er iets van te begrijpen?

Daar lag zijn vriend, tussen andere jongens die op jonge leeftijd waren gestorven. Wie had bedacht dat het een eer was om een geestelijke te zijn, om begraven te mogen worden tussen paters en oversten? Was Javier niet de enige geweest die dat alles onzin had gevonden: het uitverkoren zijn, de nederigheid die je juist boven anderen verhief?

Pepe nam zwijgend afscheid van een man die gewend leek aan bezoekers die het er geen uur uithielden. Hij haastte zich om weg te komen. Zijn lijf gebald. Een schorre jongensstem klonk in zijn kop, een stem die last kreeg van de baard in zijn keel. Javier.

De eerste grijze as daalt neer
op blinde meisjes in een steeg
die bedelen om muntgeld, appels, brood.

Er zijn alleen nog zwarte kleren
en elk gezicht lijkt ziek of moe.
De karren laden zich met duisternis.

Een volle maan kijkt naar de stad,
eerst rood, dan als een mist zo bleek.
Je lacht: het is een hoofd, vers afgesneden.

En in het donker liep je rond. Slaapwandelaar.
Je zocht naar vleugels, witte veren,
iets zachts, als pasgevallen sneeuw.
Je droomde van een engel zonder hoofd.

Er brandde een lampje in de cel toen Pepe die nacht terugkeerde naar het klooster. Het stonk er naar pis en de inhoud van een varkenspens. Broeder Esteban herkende hem onmiddellijk. Zijn lichaam was niet meer in staat om overeind te komen, maar hij glimlachte als een blij kind, lispelde iets onverstaanbaars, en Pepe twijfelde geen moment aan de oprechtheid van de gevoelens van de pater. De oude man had geen benul van tijd. Vergroeide vingers zochten die van Pepe, de jongen die hem had liefgehad, offers had gebracht. David en Jonathan, een broederliefde tot voorbij de dood.

Maar de vingers graaiden in een leegte, verstijfden. Het lichaam schokte en de mond sperde zich, probeerde een geluid voort te brengen wat niet meer lukte. De ogen keken Pepe aan, kinderlijk verbaasd.

Je lust, je hunkering, je scherpe blik,
mijn huid, mijn haar, mijn ja, mijn zwijgend nee –
waarom toch pak je alles in voordat je weggaat?
Ik geef jou straks een lege koffer mee.

Sterven deed de oude pater sowieso, daar ging het niet om. Soms viel alles op zijn plaats. Het kind, de jongen en de man. De laatste strofe van een leven. Een haperend lampje onder de beeltenis van de Maagd. Een mes in een halsslagader. Toen sloot het vlies van de dood zich zuigend om het druipende lichaam.

43

Het theater was klein. Er stonden eenvoudige banken en we mochten gebruikmaken van de aanwezige rekwisieten. Bij het ophangen van de aanplakbiljetten in de stad was Pepe er niet, en na de repetitie kwam hij ook niet opdagen in het pension. Het was ongewoon, maar het viel niemand op.

Pas laat in de nacht hoorde ik vloerplanken, de deurklink, het bed in de kamer naast me. Ik ging liggen, trok de deken over me heen maar bleef wakker. Waar kwam hij vandaan? Wie kende hij in deze grauwe stad?

De volgende ochtend doorzocht ik zijn tas: schriften met copla's, zijn slachtmes in een vochtige lap, de rolletjes stof die hij had gebruikt als windsels en wat gebruikelijke dingen: een kam, scheermes, haarwater en schrijfgerei. Maar geen aanwijzingen.

Ik werd een hond die een spoor volgde.

Maar Pepe las zoals altijd zijn teksten, at brood dat hij in olie doopte, sneed grove snippers ham bij de plakken van een rijpe tomaat, dronk twee glazen rode wijn die hij verdunde met gaseosa, en repeteerde die middag in de theaterzaal. Geconcentreerd was hij, opgelucht toen mijn moeder na afloop goedkeurend knikte. Zijn schouders leken lichter, evenals zijn tred.

Die avond was de voorstelling uitverkocht. Carmiña, het kantklosmeisje uit Galicië. Van de luidruchtigheid die we zo gewend waren in de dorpen, was hier geen sprake. Het was moeilijk te peilen of de stadsmensen ons spel konden waarderen. Ze zwegen en dat kon van alles betekenen. Alleen de onsamenhangende klanken die een zwakbegaafd meisje tijdens de voorstelling uitstootte, veroorzaakten een afwijzend gemompel.

Achter de schermen beet José voorovergebogen in een sinaasappel en gooide de schillen op de vloer. Ik snauwde tegen Elena die nog geen vlieg kwaad deed en rustig afwachtte tot na de toneelvoorstelling, als ze Pepe zou begeleiden met haar gitaar.

De spanning nam toe toen er vier agenten van de Guardia Civil binnenkwamen. Ze stuurden mensen weg en namen plaats op de vrijgekomen stoelen. Hun strakke blikken kropen over de hoofden van de toeschouwers, namen het toneel in bezit. En ik zag hem verstarren, Pepe, zoals ook mijn moeder meteen op haar hoede was. Bang dat ze voor mijn vader kwamen, reden waarom hij niet optrad in een stad en alleen de rol van apuntador op zich nam door achter de schermen nauwkeurig de teksten van de acteurs bij te houden.

Maar waar was Pepe bang voor?

De voorstelling verliep beter dan verwacht en het applaus sprak voor zich. Normaal gesproken zou mijn vader meteen daarna zijn gedichten voordragen, maar dat kwam nu voor rekening van Pepe.

Ik negeerde mijn vermoeidheid na een doorwaakte nacht en bleef hem bespieden: zijn manier van doen, het afschminken en omkleden, het aandachtig luisteren naar de aanwijzingen van mijn vader. Even meende ik een verbeten trek te zien, handen die licht trilden, maar dat was niet ongebruikelijk voor een optreden. Hij keek me niet aan. Hij keek niemand aan.

Toen de lichten werden gedimd, verscheen Elena als eerste op het podium. Ze vond feilloos haar kruk, greep de hals van haar gitaar. Een lichte melodie.

Op dat moment kwam Pepe op, en al na de eerste strofe was de stilte daar, de luchtbel, het luisteren van de toeschouwers, de guardia's in hun spookachtige capes. Ze werden betoverd door zijn meeslepende stem, maar ik beet mijn nagels stuk. Waarom was de lap om het mes in zijn tas vochtig geweest? Had hij iets gedaan wat niet door de beugel kon of kwamen ze toch voor mijn vader?

Het zwakbegaafde meisje stootte een gesmoorde schreeuw uit, ze schudde ongecontroleerd met haar hoofd. Mensen mompelden verstoord. Een man riep iets waardoor de moeder van het kind opstond om met haar dochter de zaal te verlaten.

Op dat moment zweeg Pepe, halverwege een versregel. Soepel sprong hij de drie treden van het trapje af en liep naar het meisje in het gangpad. Toen hij voor haar stond, maakte hij een buiging en vroeg haar mee het podium op.

Gemompel in het publiek. Het kind propte al haar vingers in haar mond. Ze schudde haar hoofd, keek naar haar moeder die knikte, en volgde Pepe toen toch het trapje op.

Drie treden. Glad hout. Ze werd een prinses. De kromme beentjes wiegden verlegen. Een weke hand op haar rug, de andere vol kwijl gleed in die van hem.

Kom in mijn armen, mijn vriendinnetje,
en dans met mij op spiegelhout.
Geef mij een kus, mijn koninginnetje,
en roer je bloemen door mijn lied.
Wij wonen in een ver paleis.
Kijk: er is niemand die ons ziet.

Pepe wees naar het publiek in de donkere zaal. Hij ging door met het volgende vers, en het meisje leek te luisteren. Ze ging op haar tenen staan, betastte zijn gezicht alsof ze iets zag wat voor anderen verborgen bleef. Toen zakte ze op haar hurken, speelde met zijn veters, waarop hij van haar weghinkelde zonder schoen.

Een man stond op. Een echtpaar verliet de zaal – ze waren niet gekomen voor simpel straattheater. Maar Pepe lachte. Hij schopte ook zijn andere schoen uit, omarmde Elena en het instrument alsof vier armen de gitaar bespeelden. Zijn vingertoppen trommelden het ritme mee op de klankkast. Toen sprong hij op, verleidde het meisje om zijn bewegingen na te doen: een dribbelpas op spiegelhout, vleugels die wiekten, vingers die een regen van druppels lieten kletteren, tokkelende gitaarsnaren. En ze begreep zijn bedoeling, giechelde, volgde hem op haar kromme beentjes, met kleine sprongetjes, de ene voet hoger dan de andere, fladderend met haar armen.

Dit was de Pepe die ik had bespied in het lege theater. Iemand floot. De toeschouwers joelden en klapten en even leek er geen verschil te bestaan tussen dorps- en stadsmensen of de duistere gestaltes achter in de zaal.

Mijn moeder leunde tegen de muur en knikte naar mijn vader die onzichtbaar voor het publiek meekeek. Het gevaar leek geweken, en ik zuchtte opgelucht.

Terwijl Elena de laatste akkoorden speelde, bracht Pepe het meisje terug naar de vrouw in het gangpad. Toen hij voor de moeder stond, streek hij zijn kleren glad, klopte stof af alsof hij een gevecht voor haar dochter had geleverd en boog opnieuw.

Het waren niet de guardia's achter in de zaal die opstonden, het waren mannen van de geheime dienst die op de tweede rij hadden gezeten en nu langzaam maar gericht naar hem toe liepen. Niet voor mijn vader waren ze gekomen, de fascisten van Franco, maar voor Pepe, de jongste acteur van ons gezelschap, die met gebogen hoofd meeging.

44

'Weet je wat ik pas nu begrijp?' Pepe hief zijn hand. Een rood-gezwollen pols door de naald van het infuus. 'Dat het hier gebeurt.' Hij tikte tegen zijn hoofd. 'In deze loterij van genen, en dat je stomweg geluk moet hebben in dit leven.'

Ik sneed de schil van een grapefruit in nutteloze blokjes, een kartonnen spuugbakje op mijn schoot. 'Zal ik de geestelijk verzorger voor je bellen?'

'Als ik dood ben moet je niet treuren, Juanita. Meteen mijn rotzooi opruimen.'

'Weet je hoe onzinnig het is wat je zegt?'

Nog voor het publiek de zaal kon verlaten, werd Pepe meegenomen. Twee dagen na zijn bezoek aan het klooster. In het politiebureau bereidde hij zich voor op een verhoor, maar hij werd niet ondervraagd. In zijn cel zakte hij op de smalle bed-bank en probeerde te slapen. De volgende ochtend dronk hij met tegenzin het flauwe aftreksel van namaakkoffie dat hem werd aangereikt door een luikje, en bedwong de neiging om vragen te stellen. De rest van de dag luisterde hij naar laarzen die door de gangen stampten, gerammel van sleutels en ge-klik van sloten. Onverstaanbare gesprekken gonsden door het gebouw. De straattaal van een vermeende dief, een jongen nog, die gilde; vloeken en de doffe trappen die daarop volgden. Later op de dag snerpte de stem van een vrouw. Ze vroeg luid naar haar baby, klonk wanhopig en verweet de guardia's hun laffe houding en gebrek aan medeleven. Toen de vrouw dreigde de kazerne niet te verlaten voor ze haar kindje terug had, werd ze schreeuwend in de cel naast Pepe gezet.

In de uren die daarop volgden hoorde hij haar wanhoop, of hij wilde of niet. Vragen doemden op. Waarom hadden ze de baby bij haar weggehaald? Was ze niet in staat om voor een kind te zorgen? Waar was de vader? Waren het rooien?

Haar gejammer werd een lekkende dakgoot naarmate de tijd vorderde. Pepe verloor zijn gevoel voor dag en nacht. Soms viel hij weg, droomde van zijn moeder die naar hem keek zoals mensen naar gekke Luis keken. Hij zag Fina die stenen naar hem gooide, hij wilde wegrennen maar zijn voeten waren hoeven geworden die nauwelijks vooruitkwamen. De overste kwam zijn cel binnen, trok zijn pij opzij en drukte zich tegen hem aan. Of was het broeder Esteban?

Zwetend schrok hij wakker. Het gekerm van de vrouw in de cel naast hem was omgeslagen in geschreeuw. Doffe klappen volgden, gegil dat overging in een gesmoord keelgeluid, alsof er iets in haar mond werd gepropt. Beelden drongen zich op. Het snuiven van een moederdier, te log om weg te komen van de afgrond. De duivel drukte haar spartelende benen uiteen en de guardia's knoopten hun broek los om zich te legen. Ze schuurden langs de rauwe opening waar nog niet zo lang geleden een kind uit was geboren: de enige manier om te onderwerpen en de vragen te stoppen.

Haar gehuil kroop zijn kop binnen. Het was zijn tante die daar lag. Ze wilde niet meer leven na wat de soldaten met haar hadden gedaan. Alles was kapot. Het kind in haar buik, de huid van haar wangen, haar borsten. Het gekerm drukte Pepe tegen de muur terwijl de duivel hem een bloem aanreikte door het luikje in de deur. Een witte kelk die langs zijn pols kroop als een gulzige naaktslak.

Niet veel later kwamen ze ook zijn cel binnen. Ze sloegen en schopten zonder reden of vragen. Maar hij sloot zich af, een automatisme, aangeleerd tijdens uren waarin hem heel andere dingen waren aangedaan.

Hij sliep en at niet meer tot hij werd vrijgelaten, vier dagen later, zonder verhoor of verklaring. Hij kreeg zijn papieren terug, verliet het cellencomplex en tolde op zijn benen. Het daglicht was hem te veel en zijn geest was verrot. Hoe moest hij anders de dingen verklaren die hij zich meende te herinneren? De vrouw in de cel naast hem? De zinloze afranseling en de reden waarom hij plotseling de kazerne mocht verlaten?

Hij wist waar zijn thuis was, het theatergezelschap, maar dwaalde door de straten, sleepte zich voort door een stad die nog even grauw en onbereikbaar leek als toen hij was weggestuurd uit het klooster. Hij waste zich bij een pomp op een verlaten pleintje en vond ze uiteindelijk toch, de godinnen in de straat met de dichtgetimmerde ramen. Hij betaalde de jongste, maar kon geen bevrediging vinden in haar zachte vrouwenlichaam, de volle borsten boven haar meisjesbuik. Ze streelde hem en kreunde alsof ze naar hem verlangde, maar hij duwde haar van zich af, walgde van haar droeve pogingen, van zichzelf. Zijn verlangen kwam hem voor als idioot. Dit was het niet, niet meer.

Toen verliet hij het vervallen huis, de straat waar de muren rozerood kleuren door de zon, en besloot er nooit terug te keren.

Er is een kind dat zwijgt
met vreemde, strakke lippen

terwijl jij appels eet, gebutste,
en brood dat niemand kopen wil.

Er is een kind dat zwijgt
terwijl de vrouwen naar je kijken,
hun lippen fel: ze eisen
de munten uit je hand.

Je loopt. De stad is groot.
Nu zijn de muren warm en roze.
De vogels strijken neer
en in de stilte zwijgt het kind.

De avond strooit met as.
De maan wiegt op de rivier.

45

José vertrok en David bleef. Ik huilde, maar mijn moeder leek meer om zijn vertrek te treuren dan ik. Dacht ze aan het verlies van een talentvolle acteur of was ze door de jaren heen gehecht geraakt aan zijn charisma en onzelfzuchtige gedrag in de groep? Gaf ze zichzelf de schuld, haar streven naar perfectie?

Mijn vader stelde voor om naar de streek te reizen waar José was opgegroeid, maar David raadde dat af, hij voorspelde een situatie die slecht zou kunnen aflopen. Vooral in de dorpen was de tolerantie nog ver te zoeken.

'Laat hem maar. Hij heeft rust nodig en wil zijn dochter zien.'

Nu ik aan José terugdenk, vraag ik me af of hij misschien naar ons heeft gezocht toen we al in Nederland woonden. Hij is de enige van wie we een foto hebben op posterformaat, een aanplakbiljet op karton. Een Spaanse Ramses Shaffy met zijn hand tegen zijn borst, voordragend alsof hij een boodschap komt brengen. Een wijd overhemd met geplooide manchetten boven een zwarte pantalon. Spleetje in de kin, iets krullende bakkebaarden en ogen die elke toeschouwer voor zich konden winnen.

'Wees verstandig, Juanita. Ga niet meteen trouwen als je verliefd wordt. Leer jezelf eerst een beetje kennen.' Hij doelde op zijn eigen leven, de schande die hij zijn vrouw zou aandoen als hij de waarheid vertelde, zijn geaardheid die alleen in ons theatergezelschap niet veroordeeld werd.

Wat zou hij gelachen hebben om al zijn goede raad waar ik nooit naar heb geluisterd. Wat zou hij genoten hebben van Amsterdam, de vrijheid en de vele kleine theaters die we zouden hebben bezocht. De poster met zijn treffende gelijkenis hangt in de vestibule tussen oude theaterfoto's, en nog steeds kan ik niet naar het portret kijken zonder de pijn te voelen van zijn vertrek.

'Wist je, José, dat Nederland een van de eerste landen was die het regime van Franco erkende. Weet je dat er honderdduizenden zijn geëxecuteerd in de jaren die volgden en dat er godverdomme nog steeds meer dan honderdveertienduizend mannen worden vermist?' Ik kijk naar zijn mooie ogen, haal mijn zakdoek langs het karton. 'Jouw dochter, José, haar generatie, zij zal het vergeten, dat denk ik, maar wij, onze ouders en hun kinderen, wij niet.

Lopend ga ik naar de man van de Hoogovens. Ik loop als een kieviet, zeggen mijn vriendinnen hier in Nederland, en ik weet dat het waar is. Ooit ga ik lopend mijn dood tegemoet.

De Toyota staat op dezelfde plek als waar ik hem heb neergezet. Ik bel aan en zeg niet veel. Alleen dat ik de sleutel terug wil.

'Hoezo,' zegt de man. Hij haalt zijn schouders op.

'Het duurt me te lang. Ik probeer het wel bij de garage waar we de auto hebben gekocht.'

Hij loopt de gang in, is al snel terug. 'Ik had niet begrepen dat je er zo'n haast bij hebt,' zegt hij met zijn hand om de deurpost geklemd, de sleutels bungelend aan zijn duim.

'Ik wil de auto bij me hebben voor als ik terug wil,' zeg ik.

'Waar naartoe?' vraagt hij met opgetrokken wenkbrauwen.

'Gewoon, weg.'

'Je bent niet wijs, madammeke.' Hij grijnst.

'Zou je denken?' vraag ik.

'Weet je wat het is,' zegt hij. 'Jullie vrouwen kunnen niet zonder mannen zoals wij. Dan gaan jullie gekke beslissingen nemen, dingen doen waar je geen reet mee opschiet.'

Geen spier in mijn gezicht.

Hij doet iets met zijn keel, een minachtend schrapen. 'Als je naar een garage gaat, word je zeker besodemieterd. Dat wist Pepe ook, weet je, en daarom kwam hij hier.'

'Geef me die sleutels nou maar,' zeg ik.

'Hier.' Hij smijt ze in mijn geopende hand. 'Maar dan niet met hangende pootjes terugkomen.'

Ik loop naar de auto en start zonder problemen de motor. Ik zal een stompkaars kopen die precies in de bekerhouder past. Een bidprentje met een punaise aan het dashboard: de Maagd van Covadonga. Mijn tante Soledad had het prachtig gevonden.

⁓

We logeerden in een boerenhoeve buiten de stad. De warmte maakte de keuken tot een dampend hol. Pepe sneed sappige repen vlees van het bot en ik ging zo dicht mogelijk naast hem staan. Het werd onvermijdelijk dat zijn elleboog mijn lichaam raakte. De geur van het karkas sloot ons op, schakelde mijn vier wachtlopers uit als omgestoten schaakstukken naast het schaakbord. Het vlees moest worden ingewreven met paprika, en mijn vingers zagen rood van het poeder. Vanaf de boven-verdieping klonk de gitaar van Elena, de snerpende stem van mijn moeder en het gelach van de mannen.

De keuken werd mijn danszaal. De uitgebeende ribben plonsden in de pan, en de hitte van het water liet een toneeldoek zakken voor het venster. Ik doopte mijn vinger in de paprika en tekende een rode cirkel op Pepes wang. Hij weerde me niet af en ik dwong hem zich naar me toe te draaien, drukte mijn vinger opnieuw in het poeder en bestreek zijn lippen.

Daar stond Pepe, nog grauw van zijn verblijf in de cel, het mes in de ene en een reep vlees in zijn andere hand. Zijn hemd bedekte de kneuzingen die hij in het theater niet had kunnen verbergen.

Ik kleurde zijn gezicht in, likte aan mijn vingers om slordigheidjes weg te werken, het rood te vervagen. Het werk van een grimeur was belangrijk. De geloofwaardigheid van het personage hing ervan af, ook al wist ik niet welke rol er nu werd gespeeld. Het vleesvocht maakte het poeder tot vloeibare verf. Ik vulde vlakken met mijn duim, nam het mes uit zijn hand en tekende er scherpe groeven mee op zijn linkerwang, donkere wonden op de andere helft van zijn gezicht, straaltjes bloed.

De geluiden in het huis vielen weg. Zijn adem vermengde zich met de mijne. Er kwamen tranen bij die sporen achterlieten in de schubben, een snee in zijn hals. Het gezicht van de man voor me werd een rode pierrot, de verminkte maquis, de falangist die ons wilde verraden, de man van de varkenssnuiten. Een grimas aan de ene, donkere kogelgaten aan de andere kant van zijn gelaat. Was dit het waar ik al die tijd naar zocht? Tekende ik mijn verlangen, het verleden dat ik zo graag anders had willen zien?

Alles kwam samen bij de mond. Ik slikte, kuste de lippen, voorzichtig. Nu kon ik het goedmaken, het scherpe poeder oplikken met mijn tong, zijn zachte vochtige huid proeven. De warme mond die sinds zijn terugkeer uit de cel nog niet had gelachen.

Denk maar dat we geliefden zijn. Als je heel hard denkt dan is het zo!

Toen nam ik een schone doek van de plank, maakte de stof vochtig onder de kraan en depte de kruidenverf rond zijn ogen weg, zijn voorhoofd, spoelde de lap opnieuw en ging verder met de schubben en wonden op zijn wangen, zijn kin, de lippen, zijn hals. Ik spoelde en depte tot er niets meer te zien was van het vreemde masker. Niemand zou de tekening begrijpen. Ook Pepe niet. Toen gaf ik hem het mes terug, leidde zijn hand terug naar het aanrecht. 'Kom, we zijn nog niet klaar.'

De bouillon in de pan borrelde. De middag was nog niet voorbij en we concentreerden ons op de dingen die gedaan moesten worden, maar anders nu. Woorden werkten niet tussen ons, beelden wel, het vlees, vochtige geuren, en zijn arm die zacht verkennend mijn borst aanraakte.

46

Ik breng de Toyota naar de garage waar we hem hebben gekocht. Nog dezelfde dag mag ik de auto weer ophalen. Een kleinigheidje, zegt de monteur. Een bedrag van niks. Bij een elektronicawinkel koop ik een iPad, en bij een accountantskantoor maak ik een afspraak met een boekhouder. Even later rijd ik toeterend langs het huis van de man die zo verbijsterend gelukkig was toen hij een giraffe aanraakte in Zuid-Afrika. Ik trap op de rem, schakel in zijn achteruit en parkeer strak tegen de stoeprand. Dan stift ik mijn lippen rood.

Als hij de deur opent, zeg ik dat hij zich geen zorgen hoeft te maken, dat ik niet met hangende pootjes terugkom. Ik recht mijn rug en sta weer op de planken. Met de stem van een nieuwslezeres zeg ik dat hij met een gerust hart onder motorkappen kan blijven morrelen, omdat er geen god bestaat die straft of beloont. Ik verzeker hem dat hij ongestoord kan blijven doorgaan met mensen besodemieteren tot er een wapen zal worden uitgevonden dat alleen bedriegers zal vernietigen. Mensen die zitten te wachten op auto-ongelukken, en oudere vrouwen behandelen alsof ze achterlijk zijn.

Terwijl een vuilniswagen zwarte bakken van de stoep harkt, kiept en perst, buig ik naar hem toe en laat mijn stem dalen: de zalvende woorden van een medium. Al die bedriegers zullen ineens tegelijk worden uitgeroeid door een effectief biologisch wapen. Geen bloedvergieten of meer van dat soort narigheid. Nee. Ze zullen verstenen tot kleine mannetjes met rode mutsjes, en alleen vrouwen en kinderen blijven gespaard.

Dan lach ik opgewekt en wijs naar het bordje naast zijn deurbel, hetzelfde woord in de mat onder zijn sokken: WEL-KOM. Ik grijp naar de deurpost, maak aanstalten om naar binnen te stappen, maar hij slaat met een van afschuw vertrokken gezicht de deur dicht.

Thuis loop ik naar de tuin. De vijg bij de schuur zit vol rijpe vruchten. Ik weet wat de salamander achter zijn groene handjes verbergt en loop recht op mijn doel af. Een herinnering, een beeld als door een verrekijker: Pepe in de schuur met zijn soldeerbout, een van zijn stille dagen.

Waar was ik toen hij de metaalschaar in de lege appelmoesblikken zette? Waarom keek ik niet naar wat hij maakte, ontdekte ik pas onlangs de zorgvuldig nagebootste lichaamsdelen van conservenblik. Nota bene de dag na zijn overlijden, radeloos zwervend door de tuin, de beelden betastend, zoekend naar antwoorden, het ontdekken: een scrotum dus, dunne soldeernaden langs een penis, de eikel, verroest en opengebarsten.

Met trillende handen haal ik ze tevoorschijn van onder de buik van het beest en neem ze mee naar binnen. Daar stop ik ze in een doos en plak er een etiket op met het adres van het klooster in Spanje, Hermanos Maristas. Diezelfde middag nog breng ik het pakketje naar de post.

⌒

Terwijl iedereen van het gezelschap het feest bezocht ter ere van de Maagd van Covadonga, bleven Pepe en ik achter in het huis dat ons was aangeboden voor logies. Het was een modern huis en we waren blij met alle luxe. Er was een voetentoilet en een badcabine. De keuken had genoeg stoelen om de tafel, en op de bedden lagen matrassen, wollen dekens en kussens met borduursel. De eigenaar was niet aanwezig en alleen de opkamer aan de achterzijde was verboden terrein.

Een geur van boenwas kwam ons tegemoet. Meubilair van donker notenhout. Tegen de muur een kast, een kathedraal, uitstulpende kolommen aan weerszijden van een geslepen spiegel. Flessen aguardiente achter de vensters, glazen en karaffen met gegraveerde motieven.

Kalme geluiden dreven het openstaande raam binnen. Ik maakte danspasjes. Ik wilde een huis, dit huis, beroemd worden, grammofoonplaten maken zoals de vader Elena en mooie dingen verzamelen waarvan ik geen afscheid hoefde te nemen.

Pepe schoof de divan bij het venster met uitzicht op de bergen. Hij trok me tegen zich aan, voerde me brokjes gebrande suiker, een kus na elke hap. Zijn lippen daalden af langs mijn hals en er schoten prettige rillingen door mijn lijf toen hij knoopjes losmaakte, bandjes wegschoof.

Een beeld doemde op, twee gestaltes voor een kapel in het bos. Was Pepe het soms vergeten? Die avond toen ik hem en dat grietje was gevolgd, zijn versiertrucjes had gezien, de idiote bevelen die hij haar gaf, het aanbidden van de Maagd.

Ik weerde hem af, ging rechtop zitten. 'Doe je ook zo met je dorpsmeiden?'

'Mijn dorpsmeiden?' Hij lachte verbaasd, streek met beide handen zijn haren glad. Een gebaar als op het toneel. 'Ik heb jou.'

Ik schoof bij Pepe vandaan. 'Mij heb je niet. Of denk je dat ik gek ben?' Zijn bedrieglijk zachte lippen moesten schuld bekennen, een verklaring geven voor wat ik maar al te vaak had zien gebeuren: de blikken tussen acteurs als ze dachten beet te hebben, de zelfingenomenheid van mijn vader als hij pas na uren kwam opdagen.

Pepe viste mijn hand uit de lucht, zijn hoofd dicht bij het mijne. Vochtige ogen onder opgetrokken wenkbrauwen. 'Door jou wordt alles anders.'

Mijn god, moest ik dit serieus nemen? Ik trok mijn hand los, barstte nog net niet in lachen uit. Dacht hij dat ik zo gemakkelijk te vangen was? Een kleine act en het gezeur was opgelost?

Ik ging staan. Mijn jurk moest dicht, niet de knoopjes, hij moest weten wat er te verliezen viel. Was het hem niet opgevallen hoe mannen naar me keken? Alsof ik op hem zat te wachten.

Ook Pepe ging staan, zijn gelaatstrekken onduidelijk door het licht achter hem. Misschien dacht hij aan zijn vader, een man die bij drie vrouwen kinderen had verwekt. Beschaamd had hij zijn schouders opgetrokken toen Fina het ons vertelde. Of was ook dat gespeeld?

Hij deed een stap naar me toe, wilde me aanraken, aarzelde, nu toch op zijn hoede. 'Ik kan je niets beloven, Juanita, je moet me gewoon geloven. Het gaat me om jou, niemand anders...'

Ik hoorde iets in zijn stem, zag de blik in zijn ogen, de manier waarop hij zich vooroverboog. Lag het aan mij? Was ik niet meer in staat om te onderscheiden wat spel was of echt? Niet bij hem, maar ook niet bij mezelf?

De wind blies de gordijnen bol. Een zacht gemekker. We waren erop gewezen, meerdere keren zelfs: de buitendeur moest dicht vanwege de dieren!

Pepe draaide zich om. Een geit. Dat was iets wat hij aankon, beter dan een vrouw die een verklaring eiste voor zijn gedrag. Zonder aarzelen stak hij zijn mes in een dier als er gegeten moest worden. Zou ik op hem wachten als hij zich voor jaren moest verbergen in een grot? Zou hij de vrouwen in de dorpen negeren als ze zich aanboden?

De kast glom. In de spiegel zag de geit een soortgenoot op vijandig terrein die zich schrap zette, zijn kop boog. Voor Pepe kon ingrijpen, stortte het dier zich naar voren. Een klap volgde, krakend hout, een lawine aan spiegelscherven die met veel geraas neerstortten. Het dier stapte achteruit. Opnieuw een aanloop, een klap waardoor karaffen omvielen, flessen drank door de vensters braken, een tinkelend geluid van uiteenspattend kristal. Het beest was niet te stuiten, bleef blind doorbeuken met een van bloed druipende kop.

Toen Pepe de geit eindelijk te pakken kreeg, was de ravage enorm. Met zijn handen om de hoorns hield hij het dier in bedwang. Bloed en glas op de vloer. Een scherpe alcoholdamp die op mijn keel sloeg. Ik hoestte, knipperde met mijn ogen. Mijn oren piepten terwijl er iets tot me door begon te dringen, een gedachte die de ravage op een zijspoor zette. Dit was geen act voor publiek, geen oefening tussen krijtstrepen. Dit was een scène waarin niets van tevoren was bedacht. Nog geen seconde.

Ik weet niet meer waarom ik lachte. Er viel niets te lachen, maar vanaf dat moment herinner ik me elke stap, het leven daarbinnen in mijn borst, de jurk van mijn schouders. Ik drukte me tegen Pepe aan, mijn handen in dat zwarte haar, mijn lippen naar de verbaasde lijntjes rond zijn mondhoeken. Daar in die stinkende kamer kuste ik Pepe, de kop van de geit in mijn schoot. En hij liet het dier gaan, pakte mijn polsen.

'Kom.'

Was hij kwaad? Een schorre stem. Zijn ogen strak en donker.

Hij leidde me tussen de glasscherven door naar de sofa voor het raam. Korte aanwijzingen waar ik mijn voeten moest plaatsen, moest gaan zitten. Het felle licht verblindde me. Toen gleden zijn handen in mijn jurk, stroopten de stof af.

Een greep in mijn haar. Hij trok mijn hoofd over de rand van de leuning. Een donker silhouet dat zijn gang ging, mijn lichaam betastte. De Madonna aan de muur achter hem, haar ogen neergeslagen. Dit was het toch wat ik wilde?

Geluiden braken door het openstaande venster. Gemekker, getok van kippen. Een glimp van een lach bij Pepe. Een bries die alles openlegde. Geen huid, alleen het hart, mijn hart, twee kamers bloed. Zijn tong op mijn tepels, zijn lippen.

Ik durfde niet te kijken, sloot mijn ogen. Niet denken, niet bang zijn. Zijn zoekende hand op mij, in mij, zijn vingers. Was dit het, was dit de liefde? Pepe met al zijn ervaring die mij helemaal niet nodig had?

Het kostte een middag om alles op te ruimen, en we mochten van de huiseigenaar geen dag langer blijven. De kast en het serviesgoed werden betaald met het spaargeld van Pepe en mijn moeder. Daarna verkasten we naar een eenvoudig pension met tochtige ramen en harde bedden waar alle artiesten op mopperden.

Daar was het, aan de wiebelende tafel in de keuken, dat Pepe ondanks onze schaamte over de ravage mijn ouders meedeelde dat we wilden trouwen. Zonder aarzelen had hij de leiding gehouden in het spel dat we hadden voortgezet tijdens het opruimen van het glas. Geen stroeve woorden over dorpsmeiden, geen beloftes of kruis tegen de muur zoals mijn moeder deed. Maar wel met een gedeeld verlangen om het anders te doen dan onze ouders.

En daar aan die wiebelende keukentafel hield mijn moeder, met mijn vader naast zich, alsnog een vinger in de pap: Pepe moest eerst zijn dienstplicht vervullen. Ze vond ons te jong en ik wist wat ze dacht, ik wist waar ze bang voor was: een zwangerschap. De vader van Lola die haar had verlaten.

Mijn vader keek zuur, hij had een spectaculairdere man voor mij bedacht en hoopte dat het wel overwaaide, maar mijn moeder klopte op mijn hand. 'Met een man als Pepe zul je geen honger lijden, cariño. Hij is geen filmster, maar hij zal je net zoveel laten eten als hijzelf.' Terwijl ze dat zei, keek ze veelbetekenend opzij.

47

Ik begin te begrijpen waarom Pepe al die jaren zweeg. Dat het een leven kan duren voor je iets van je af weet te schudden. Dat je iemand zijn geheimen moet gunnen en geluk moet hebben, simpelweg.

Voorafgaand aan zijn crematie had ik een kleine mis geregeld in de Sint-Agathakerk. Er waaide die dag een warme zuidenwind, en de pastoor raffelde het af. Het werd een blamage naast de respectvolle begrafenisplechtigheden van mijn ouders en mijn tante Soledad.

Een paar weken later kreeg ik zijn as mee, een koker in een zak. Als je niet beter wist zou je denken dat het een opwarmmaaltijd was voor in de magnetron. Thuis heb ik de as in een oude olijfkruik laten glijden en het ding op de schoorsteenmantel gezet.

Het was Pepes wens om uitgestrooid te worden in het dorp waar hij zowel nare als goede herinneringen aan had, Cezosu. Het veldje waar hun huis heeft gestaan met uitzicht op het dal en de bergen daarachter. Hoog opgeschoten gras en een zwartgeblakerde barbecue op een steen.

Ik heb er een hard hoofd in, zeggen ze in Nederland als ze ergens grote twijfels over hebben. Niet dat ik er tegenop zie om tweeduizend kilometer te rijden met de Toyota of het reizen weer op te pakken voor ik seniel in een tehuis verdwijn. Maar ik ben bang dat de mensen die er nu wonen er nooit mee zullen instemmen.

Het overviel Pepe als een koortsaanval, het verlangen naar gekke Luis. Alsof de verliefdheid zijn lichaam deed barsten en het gevoel gedeeld moest worden met de man die misschien wel de belangrijkste persoon in zijn leven was geweest.

Hij nam vrij en reisde met de trein naar Nava. Daar liet hij het stadje achter zich en koos de kortste route de berg op. Al meteen miste hij zijn klompen, gebruikte zijn hakken om niet weg te glijden in de modder. Cezosu. Hoe vaak had hij niet terugverlangd naar dit bergdorp.

Het huis waar hij had gewoond was afgebroken, evenals dat van zijn tante. Wat restte was een bemost muurtje dat doorliep tot aan een elektriciteitspaal. Een manshoge cactus, de wortels verankerd in het broze steen. Een aangrenzend grasveld met geiten die cirkels graasden zover hun touw reikte.

Voorbij de appelboomgaard had het huis van Luis moeten staan, maar Pepe vond alleen een overwoekerd krot. Een wilde roos, blaadjes die onmiddellijk afvielen toen hij de bloem plukte. Tussen de brandnetels stond de halfvergane ossenkar. De oude notenboom riep een duidelijk beeld op van de kamer waar hij aan tafel had gezeten, de noten die lagen te drogen rond de houtkachel. Maar buren haalden hun schouders op. Niemand wist waar de dorpsgek gebleven was en of hij nog leefde.

Bij de houtzagerij stond César de Gradatila, de enige dorps-jongen die een korte tijd met Pepe had opgetrokken in zijn zoektocht naar eten. Een boomlange vent nu, pet scheef, felle ogen onder wilde wenkbrauwen. Ook César groeide op zon-der vader. Zijn moeder werkte als een paard en at brood be-sprenkeld met drank. Vanwege haar sterk linkse ideeën werd ze opgepakt. De kleine César kwam thuis in een leeg huis. De jongen stal appels, zwierf met Pepe door het bos op zoek naar colleja's, blauwe bessen en beukennoten tot hij bij een tante mocht wonen. Hij verdiende geld door manden met eten naar mijnwerkers te brengen, vijf centen, lopend door de bergen, twee uur heen en twee uur terug. Niets van dat zware verleden was nog terug te zien in de krachtige gestalte die naast de houtmolen stond. Pepe kon zich goed voorstellen dat de dorpsvrouwen zijn aandacht probeerden te trekken. César nodigde hem uit om te blijven eten, maar Pepe wilde door. Hij beloofde terug te komen en nam gehaast afscheid.

Uiteindelijk wendde hij zich tot de burgemeester van Nava. Daar kreeg hij toegang tot een register en vond het adres. Passantenliedengasthuis onder leiding van kloosterzusters, bedoeld voor de opvang van behoeftigen, vreemdelingen en zieken. Luis Baldomero Borges. Na het lezen van de naam hief Pepe zijn hoofd. Zou het hem toch lukken om Luis te vinden?

De trein bracht hem naar Oviedo. Het gasthuis was een verzameling van gebouwen, gescheiden van de buitenwereld door een hoge bakstenen muur. Pepe bleef staan bij het smeedijzeren hekwerk van de hoofdingang. Lantarens tussen speerpunten. Glanzend email: *Cor unum et anima una*, één van hart en één van geest.

Na enkele aanwijzingen vond hij het gebouw waar Luis moest verblijven. Een hoog portaal, een stille kou die hem ook hier weer overviel. Deuren gingen pas van het slot toen hij had uitgelegd voor wie hij kwam.

Een non verscheen, een stijve kap om haar gezicht. Haar ronde wangen vielen hem op, de blik in haar ogen en het wiegen van haar heupen, niet gebruikelijk voor een non. Een gedachte speelde door zijn hoofd – haar laten gehoorzamen –

maar die schudde hij onmiddellijk van zich af.

Opnieuw was hij overgeleverd aan een kloosterwereld. Kleine zalen aan weerszijden van een gang. Klapdeuren en binnenvensters in strak pleisterwerk. Het verbaasde Pepe niet dat zijn oude vriend was ondergebracht bij mensen met een geestelijke achterstand. Ze slenterden rond, hingen doelloos tegen muren of zaten met opgezwollen buiken aan tafels. Toch leek er een soort orde te heersen. Er klonk nauwelijks geschreeuw. De kamers waren licht en schoon en er stonden hoge ijzeren ledikanten die konden worden afgesloten met traliehekken. In een werkplaats voerden meerdere mannen onduidelijke bezigheden uit. Het leek op kantklossen, maar dat was het niet. De mannen staakten hun klus en staarden naar de onverwachte bezoeker. Artiesten met kaalgeschoren koppen in een voorstelling zonder regie, de onvoorspelbaarheid als apuntador.

Ik stootte aan een deur en ging naar binnen.
Ik zag de mannen in hun vreemd theater.
Hun woorden klonken afgeleefd en dof,
ze struikelden door kromme zinnen.

Ik zag hun monden lachen, ademloos,
of ik hun clown was, of hun zoon, hun God —
en toen opeens een vogelzwerm van stemmen,
een zaal vol kreten, honend, boos.

Daar stond ik, door hun woede aangevlogen,
en moest wel denken dat ik schuldig was.
Een stilte daalde neer. Ik zag een witte muur,
zo dood en zwijgend als hun ogen.
Hun monden lachten, ademloos.

De non leidde hem door gangen naar een ruime keuken en onmiddellijk herkende Pepe het monsterlichaam in de overall aan de tafel. De voeten vielen op, de vleeshompen die hij nooit zonder windsels had gezien, ingetrokken tenen die onmogelijk houvast konden geven aan een lichaam van dat formaat. Hij bleef staan, knipperde met zijn ogen. Fel licht brak door de vensters, stortte zich op de geschuurde pannen, de planken met dekschalen.

Het verbaasde Pepe toch, de wilde stroom door zijn lijf, het verlangen waarmee hij zich tegen de man wierp. Hij zag zichzelf terug, de groezelige jongen, de woedende hongerlap die met beide handen maïspannenkoeken in zijn mond propte en tegelijkertijd schreeuw-lachte zodat alles er weer uit rolde. Hij voelde de klauwen die hem vastgrepen, hoorde de onverstaanbare klanken waarvan hij niet wist dat hij er naar had verlangd. Hij zoog zijn lichaam vol: water uit een lepel, warm vlees met rijpe bessen, maisbrood, walnoten die voor hem gekraakt werden. Luis, Luis. Pepe jankte, streek met beide handen langs de hoekige wangen en kuste de man die zijn kop niet stil kon houden. Toen zongen ze het lied van de distelvink, terwijl Pepe danste en klapte en de non verstomd toekeek.

Het licht staat helder om ons heen.
Wij eten brood, wij drinken wijn.
Een weelde zal ons leven zijn:
olijven, dadels, noten, abrikozen.

'Er is nog nooit bezoek geweest voor meneer Baldomero. Het is fantastisch dat u bent gekomen.' De zuster zette een beker met koffie voor hem neer. 'Kent u hem van vroeger, komt u uit dezelfde streek?'

Pepe schoof de koffiebeker opzij, knikte kort, wendde zich

toen nadrukkelijk tot Luis. Hij had geen behoefte aan een gesprek met deze non. Het stond hem opeens tegen, haar vrouwelijke gestalte onder het stijve habijt, de randen stof die langs haar wangen schuurden. Waarom koos ze voor een religieus leven terwijl ze zich bewoog als een stadse vrouw?

'Meneer Baldomero helpt mij met het werk in de keuken. Hij is erg handig als hij erbij kan zitten, en ik heb veel hulp aan hem.'

'Wat fijn voor u.' Pepe opende zijn tas, haalde druiven tevoorschijn die hij op de markt had gekocht, chorizo en kaas, walnoten van de boom die overeind was gebleven naast het ingestorte huis van Luis. Hij legde de etenswaren op het tafelblad. Hun geuren maakten hem duizelig en hij zag vlekken voor zijn ogen.

De non liep naar Luis, ze vlijde een arm om zijn schouders. 'De laatste tijd voelt het zelfs alsof we een beetje familie zijn.' Ze lachte, draaide haar lichaam naar hem toe en heel even leek het of ze op zijn schoot ging zitten.

Pepe deed een stap achteruit. Zijn maag perste zich omhoog naar zijn slokdarm. Daar had je het weer. Zijn misselijkheid als maar iets hem herinnerde aan de handelingen van broeder Esteban. Hij struikelde over een kruk en gaf het ding een slinger. Niet aan denken nu, hij had gewoon honger.

Er klonk geschreeuw vanuit de gang en Pepe keek de vrouw strak aan, hij hoopte dat ze ernaartoe zou gaan om de boel te sussen, maar ze leek niet onder de indruk van het kabaal.

'Vreemd dat u als zogenaamd familielid Luis dan toch tussen de gekken wegstopt terwijl hij alles net zo goed op een rijtje heeft als u en ik.'

Het geschreeuw hield aan, maar de non bleef waar ze was. Ze leek gekwetst, alsof Pepe haar midden in het gezicht had gespuugd, en dat was precies zijn bedoeling. Wat verborg deze zuster achter haar zalvend-vriendelijke gelaatstrekken, het aanstellerige bouwwerk van gesteven linnen? Geloofde ze in een God die een ongeborene zo mishandelde dat hij zijn hele verdere leven als een idioot werd beschouwd? Als ze het beste met Luis zou voorhebben, had ze er toch voor gezorgd dat hij in een huis werd geplaatst voor mensen met een lichamelijke handicap?

Haar mond vertrok, maar ze liet zich niet wegjagen. 'Meneer Baldomero wil hier niet weg.'

'Heeft hij met u gesproken, ik bedoel, hebt u duidelijke woorden met hem gewisseld?'

De non schudde ontkennend haar hoofd. Even leek ze een meisje, te jong om een zuster te zijn.

Pepe voelde zich sterker worden. 'Wist u dat hij moet zingen om zich verstaanbaar te maken? Of voelt u zich pas heilig als u voor hem de barmhartige Samaritaan kunt spelen?'

Het geschreeuw op de gang nam toe. Moest ze hier niet weg, deze vrouw die helemaal niet geschikt leek voor haar roeping, moest ze niet ingrijpen, dingen voorkomen die voor je het wist uit de hand liepen?

Opnieuw een doffe klap, een gil. Muren doemden op in zijn kop, een smalle bedbank in een cel, snuivende neusgaten. Pepe voelde iets in zijn handpalm, een heft dat net iets zwaarder was dan het scherp. Hij vouwde zijn trillende vingers eromheen. Erheen lopen, naar dat geschreeuw, het gevoel weer vinden dat hij had ervaren bij het sterfbed van broeder Esteban, en waar hij opeens intens naar verlangde.

De hand van Luis legde zich in zijn nek, stameltaal die hem wakker schudde. Er was geen mes. Er was een waarheid die tot hem doordrong, het trillen verplaatste naar zijn buik, zijn knieën. Het zou nooit wennen. Nooit. Er hoefde maar iets te gebeuren, een gebaar, een geluid... wat hem was afgenomen zou nooit meer helemaal helen. Hij zou altijd iemand nodig hebben.

Een kalmerende stem deed het geschreeuw in de gang verstommen. Er glinsterde iets in het gelaat voor hem, tranen in wimpers, een web dat hij met één haal zou kunnen wegvegen. Waarom wilde hij zelf toentertijd een heilige worden, een held, een beschermheilige nog wel? Waar had hij van gedroomd? En zij?

Hij ademde, rustiger nu. Toen boog hij zich voorover en reikte haar de druiven aan, de donkerste, de zoetste.

48

In onze huiskamer vallen de boeken op; alsof Pepe het bewijs om zich heen wilde hebben van een geschiedenis die al te lang is verzwegen. Verboden en gecensureerde romans. Schrijvers als Antonio Buero Vallejo en Camilo José Cela. Carmen Conde vind je er, de eerste vrouwelijke schrijver die lid was van de Koninklijke Academie van de Taal. Ana María Matutes en Elena Soriano. Meer boeken staan er, te veel om op te noemen. En dat niet alleen.

Daar hangt Pepes laatste gedicht. De vellen met zijn schuine handschrift – drieluik in vergulde lijst – godallemachtig. Een parodie op *Carmiña*, het kantklosmeisje van Galicië. Het overbekende verhaal dat hij verplaatste naar zijn geliefde Asturië. Korte notities op de achterkant: Maart, 1957. Plaats van optreden: Luzmela. Voordracht met pantomime: uitverkocht.

Het was zijn laatste voorstelling voor hij in dienst moest. Het goot van de regen die avond. Het hele dorp was uitgelopen en sommige mensen droegen hun meegebrachte stoel boven hun hoofd. Als de toeschouwers met paard en wagen waren gekomen, had de straat volgelegen met paardenvijgen.

Vrijwel alles van die avond heeft Pepe bewaard. Zelfs het geldkistje dat toentertijd zwaar was van de munten. Het staat onder ons bed en als je na veel gedoe met het sleuteltje het deksel optilt, vind je geen munten, maar de zakhorloges die

Pepe door de jaren heen heeft verzameld, een ode aan gekke Luis, oude exemplaren van kringloopwinkels en het Waterlooplein. De ringen van mijn ouders die in Nederland eindelijk konden trouwen zonder toestemming van de kerk, en de speldjes van de Hoogovens.

Een geschiedenis ruim je niet op, hoe aantrekkelijk het ook lijkt om ruimte te creëren. Laat anderen dat maar doen.

'Ik zit hier eeuwig aan het weefgetouw:
een afgesloofde, vreugdeloze vrouw.
Mijn vader en mijn moeder, die zijn dood,
mijn liefste is vertrokken met de boot
en ik ben blind – en wil een kind.'

Voorzichtig, mensen op de eerste rij:
nu volgt een ongekende jankpartij.
Die arme Carmen huilt tranen met tuiten,
het regent binnen net zo hard als buiten.
Haar vriend Fernando is geëmigreerd
en nu, na zeven jaar, teruggekeerd
met achttienduizend dollar en met goud,
en met een zekere Ann: hij is getrouwd.

'Fernando, darling boy, lekkere vent,'
zegt zij met een Amerikaans accent,
'het wordt hoog tijd om luiers in te slaan,
want onze liefdesbaby komt eraan.
Er woont hier in Gijón een blinde vrouw,
zij is de koningin van het weefgetouw,
daar wil ik luiers kopen. Ga je mee?'
Fernando, lijkbleek, spreekt maar één woord: 'Nee!'

Die dag gaat Ann naar Carmen toe, alleen.
De jonge weefster klaagt weer steen en been:
'Mijn vader en mijn moeder, die zijn dood,
mijn liefste is vertrokken met de boot
en ik ben blind – en wil een kind.'
De tranen sproeien op het weefgetouw.
Ann luistert naar de diepbedroefde vrouw
en voelt ook bij zichzelf de tranen wellen.
Ze slikt. Daarna begint ze te bestellen:
'Graag honderdvijftig luiers, wollen dasjes
en slabbetjes, en hemdjes, mutsjes, jasjes.'
Kijk, Ann betaalt met goud, en onze Carmen,
huilend van blijdschap nu, valt in haar armen.

We springen even in de tijd naar voren.
Er wordt een roze mannetje geboren.
De baby draagt een prachtig nieuw hansopje,
maar hij heeft wel een lelijk rimpelkopje.
Fernando scheldt: 'Een wangedrocht, dat jong!'
Intussen gaat hij flink over de tong,
in heel Gijón hoor je de mensen praten:
'Fernando heeft haar in de steek gelaten,
die arme Carmen aan haar weefgetouw.
De schoft! Opknopen! Carmen, weef een touw!'

Ook Ann hoort deze praatjes en geruchten.
Ze vraagt aan Carmen hoe het zit. Met zuchten
en een rivier van tranen klaagt de vrouw,
als altijd zittend aan haar weefgetouw:
'Mijn vader en mijn moeder, die zijn dood,
mijn liefste is vertrokken met de boot
en ik ben blind – en wil een kind.'

'Dat is bekend,' zegt Ann, 'maar moet je horen:
er kwam mij laatst een vreemd verhaal ter ore.
Fernando, zeggen ze, die hield van jou,
en in Amerika werd hij ontrouw.'
'Het is de bittere waarheid,' jammert Carmen
en snikkend valt ze Ann weer in de armen.

Ann loopt van huis weg, gaat bij Carmen wonen,
met kind en al. Samen luiers verschonen,
samen de fijnste babykleertjes weven –
dat wordt nu maandenlang hun dagelijks leven.
Fernando, aan de alcohol, doet stoer.
In kroegen lalt hij: 'Ann, dat is een h...
Zo'n rimpelkind, dat zie je met één blik,
kan nooit gemaakt zijn door een man als ik.'
Van binnen huilt hij, maar hij houdt zich groot
en dan koopt hij een kaartje voor de boot,
terug naar Amerika. Nooit komt hij aan:
het schip zinkt midden op de oceaan.

Na dertien operaties aan haar ogen
herwint de weefster haar gezichtsvermogen
en het is Ann die de chirurg betaalt.
Carmen, ontwaakt uit haar narcose, straalt
wanneer zij Ann ziet, en het rimpelwicht.
Een tranenwaterval breekt los, haar zicht
verduistert zelfs weer even. Ann grijpt in:
ze dept haar overstromende vriendin
met badhanddoeken van het weefgetouw.
Haar eigen tranen droogt ze met haar mouw.

We springen nog eens in de tijd vooruit.
Het kindje met zijn kreukelige huid,
dat zeldzaam lelijke eendje, kleine Juan,
groeit uit tot de aantrekkelijkste man
van heel Asturië. Hij wordt artiest:
hij zingt. Zijn mooiste liedjes zijn vaak triest,
ze gaan over het noodlot van de armen
en ook over Fernando, Ann en Carmen.
De beide moeders zijn zo trots op hem
wanneer hij zingt met zijn fluwelen stem
en de emoties golven door de zaal.
Vandaag brengt hij een waar gebeurd verhaal.
Applaus! Hier is Juan met zijn gitaar!
Hou voor de zekerheid uw zakdoek klaar.

'Zij zat daar eeuwig aan het weefgetouw:
een afgesloofde, vreugdeloze vrouw.
Haar vader en haar moeder waren dood,
haar liefste was vertrokken met de boot
en zij was blind – en wou een kind.
Toen, op een dag, stond aan haar weefgetouw
een onbekende, vriendelijke vrouw
die honderdvijftig luiers kwam bestellen...'

49

Het liep al tegen de avond toen Pepe twee jaar later het plein overstak. Het jasje van zijn uniform zat opgerold in zijn tas. Schemer verhulde armoede in dit grauwe dorp. De deur van de zaal stond open en onopgemerkt liep hij naar binnen. De ruimte stond blauw van de rook. Een chaos mensen en stoelen op een vloer vol as en pipa's. Niet de zaal was donker, zoals tijdens een voorstelling, maar het podium. Een televisietoestel stond op de planken, een houten bekisting met twee spriet-antennes aan een snoer, net lang genoeg om het stopcontact te bereiken in de zijmuur.

De beelden toonden een verrassend knappe vrouw in een dunne jurk. Ze leunde verleidelijk tegen een verrassend knappe man die op zijn beurt nonchalant tegen een hek stond geleund en ze maakten ruzie die geen ruzie was, maar eerder een spel met kirrende stemmen, opgetrokken wenkbrauwen en gekunstelde gebaren.

Toen pas zag Pepe ze, de mensen die hij twee jaar lang had moeten missen. Een uitgedund groepje, niet op het toneel, maar tussen het publiek. Zijn keel werd droog. Wat deden ze daar?

Een man kwam naast hem staan, bood een kruk aan. 'Ga zitten, hombre. Het is gratis.' Hij grijnsde en pootte voor zich-zelf een kruk naast die van Pepe. Toen trok hij zijn das los, haalde een pakje shag uit zijn binnenzak en legde het op zijn bovenbeen. Zijn verkleurde vingers graaiden in de tabak en verdeelden de draadjes zorgvuldig over het vloeitje. Het rolletje werd gedraaid. Het teveel aan shag ging terug in het pakje.

'Is er geen voorstelling?' Pepe fluisterde.

Zijn buurman schudde zijn hoofd. 'Die tijd is voorbij. Wat dacht je. Dit is de moderne tijd, hombre, en dat ding daar kost ons geen rooie cent. Wat wil je nog meer?' Hij gebaarde overduidelijk in de richting van de artiesten. 'Die krekels hebben we niet meer nodig, dat spreekt voor zich.' Hij stak de peuk tussen zijn lippen en streek een lucifer af.

Even keek Pepe de man verbijsterd aan, herstelde zich snel. Dus dat was er gebeurd in de twee jaren van zijn afwezigheid. Daarom vertelden de brieven die hij kreeg zo weinig over het gezelschap en de optredens. Emilio had in een fabriek gewerkt waar sardines werden ingeblikt. Asunción had in een stad kaartjes verkocht bij de kassa van een nieuwe bioscoop, maar er was geen lichtje bij hem gaan branden en hij had ook geen vragen gesteld.

Had hij gedacht dat ze het deden omdat ze het leuk vonden?

'Qué guapa!' Zijn buurman tikte zijn askegel af op de tegels zonder zijn blik van het scherm te halen. De vrouw in de film rende met haar rok hoog opgetrokken door een zonovergoten landschap terwijl ze achterna werd gezeten door een man met lompe bewegingen. Er werd ingezoomd op een litteken, een lelijke scheur dwars over zijn oog tot aan zijn lip. De vrouw viel. Haar jurk gleed van haar schouder. Ze hijgde, keek angstig naar haar achtervolger, sprong toen toch op en rende nog harder door het droge zanderige landschap dan daarnet.

Het beeld hypnotiseerde. De vrouw moest gered worden van het monster. De man die net zo mooi was als zij moest iets doen nu, iets heldhaftigs, ertussen gaan staan en de cowboy tot staan brengen, neerslaan. Een doelgerichte vuist op dat oog, in zijn maag of lager. De man met het rottige litteken moest worden gestraft, gedood. Bij voorkeur door de hoeven van een paard of de kogel van een sheriff.

Pepe keek rond. De dorpsbewoners hingen in hun stoelen. Hoe naïef was hij geweest om te geloven dat na twee jaar alles bij het oude was gebleven. Hij keek naar de mensen voor hem, die zich verheugden op zijn terugkeer. Een vrouw als Asunción die er ooit voor had gezorgd dat hij uit de cel kwam, haar contacten had aangewend zonder te weten waarom hij daar zat, er daarna nooit naar had gevraagd. Hij moest aan zijn vriend Luis denken. Tijdens zijn diensttijd was er bij de kazerne een aangetekende brief bezorgd van de non uit het passantenliedengasthuis:

Geachte heer Castro Montes, onze bewoner de heer Luis Baldomero Borges is ernstig ziek. Hij heeft niet lang meer te leven en zal het zeer op prijs stellen als u langskomt.

Maar Pepe kreeg geen verlof want Luis was geen familie.

Vioolmuziek, een blikkerig orkest. Er welden tranen op in de ogen van de actrice op het televisiescherm, maar haar huid bleef droog en rimpelloos. De rook in de zaal maakte duf en Pepe verlangde naar een stoel met een rugleuning om net als de dorpsbewoners achterover te kunnen leunen. Rooksluiers. Een van de tl-buizen aan het plafond flikkerde. Normaal gesproken zou hij naar buiten lopen bij zo veel treurigheid, maar alle lust tot handelen leek hem te zijn ontnomen. Zijn ogen prikten. De man naast hem was weg maar kwam al snel terug met bier, ook voor hem.

Eenentwintig jaar na de oorlog. Op het scherm speelde een droom die onmogelijk te evenaren was, door geen enkel theatergezelschap. De held liep op de vrouw toe. Ze keken elkaar aan, een dromerig moment in de zon, zijn vingertoppen streel-

den haar schouder, speelden met een bandje van kant, toen
bogen ze zich naar elkaar toe en volgde de kus. De man met
het litteken lag op zijn rug in het zand, zijn dode ogen starend
naar niets.

Wij konden van een stal een balzaal maken,
een jongenskamer of een kerk,
een straat met zoetverkopers, kreten, copla's,
een woud met minnaars of soldaten.

Onschuldig wit of pijnlijk rood,
wij droegen alle mantels uit de kist
en elk verhaal, van moordenaar of heilige,
streek als een vlinder op de hoofden neer.

Wij zien een hemel met de vreemdste wolken.
Gezichten schuiven naar ons toe
en nooit is iets gelogen, ook vandaag niet,
nu onze mantels stinken in hun kist.

50

Mijn herinneringen aan Pepe eindigen in 2013. Het was zacht somber weer. Daar in die benauwde ziekenhuiskamer voltooide hij in vier dagen zijn verhaal. Het laatste gedeelte zonder te hallucineren. Hij at en dronk niet meer, zweeg uiteindelijk, nog lang niet uitgesproken. Zijn ademstoten gingen over in gerochel met lange ademloze pauzes.

Toen stierf hij in mijn armen, de kleine Pepin tussen de koeien, mijn Pepe op de planken en de oude tussen de mozaiekscherven. 'Je was mijn kathedraal, Juanita.' Een Sagrada Família met torens en torentjes waar ik als vrouw nou niet echt mee vergeleken wil worden.

Nog geen half jaar later start ik de Toyota, zet de ruitenwissers aan en draai de weg op. Ik draag makkelijk zittende kleding en sieraden met glasroosjes. Naast me staat Pepe in de uitvouwkist. Een lichtje brandt in de bekerhouder aan het dashboard, erachter een bidprentje van de Maagd van Covadonga. De poster van José heb ik op de achterbank gezet en al onze fotolijsten met veiligheidsspelden aan de bekleding gehangen. Ze zullen me wakker houden tijdens de reis: mijn ouders, mijn tante Soledad, Lola, het theatergezelschap, het familieportret van Pepe met zijn broers en zussen tijdens een van onze vakanties in Spanje, Fina met haar vrouw in België.

Hoe vertel je over twee levens als je geboren wordt tussen

verhalen, gevoed wordt en onderdak vindt door verhalen? We waren artiesten, luchtfietsers. We konden van een stal een balzaal maken en nooit was iets gelogen.

Misschien heeft Pepe als jongeman geen mes gestoken in de broeder op zijn sterfbed en ben ik nooit van het podium gekomen waarop ik als baby al lag te kraaien?

Het moment van kiezen ging ongezien voorbij toen ik Pepe zag in dat lege theater in Comillas. Zijn durf om een gebrekkig mens te zijn en te blijven. We hielden van elkaar, bijna een heel leven, en dat is de enige waarheid die telt.

'Tussen de mantels in je kist,'
zo gaat een afscheidsliedje uit de bergen,
'verstopte ik een vlinder en een wolk.
Ben je gelukkig in je nieuwe land?
Hier in de dorpen is het grote nieuws:
een vlinder en een wolk vermist.'

AANTEKENINGEN

'Vertel mij, kleine distelvink' is een bewerking van een liedtekst van José González, bijgenaamd El Presi. Het lied heet: 'Xilguerín parleru'.

∽

'Ik trok door de bergen' is een bewerking van het gedicht 'Eén stuiver per jaar' van Eusebio Blasco.

∽

'Mijn man is gestorven' is een bewerking van een bestaande copla:

Mijn schoonmoeder wordt begraven,
Ik neem een uienschil,
Dat is een uitstekend middel
Wanneer men huilen wil.

(Uit: Hendrik de Vries, *Coplas. 700 liederen van het Spaanse volk.* De Spieghel, Amsterdam, z.j.)

∽

De kluchtige tekst over de blinde weefster is geïnspireerd op *Carmiña*, een klucht over een kantklosmeisje, zoals naverteld door Juanita Romeo Lucea, die model stond voor de Juanita in de roman.